★影响世界的人★

居里夫人

Marie Curie

★ 林月娥 著 曲曲 绘

译林出版社

图书在版编目(CIP)数据

居里夫人 / 林月娥著. —南京：译林出版社，2013.10
（影响世界的人）
ISBN 978-7-5447-4465-2

Ⅰ.①居… Ⅱ.①林… Ⅲ.①居里夫人，M.（1867~1934）-传记-少儿读物 Ⅳ.①K835.656.13-49

中国版本图书馆CIP数据核字（2013）第223241号

书　　名	**居里夫人**
作　　者	林月娥
责任编辑	朱旭玲
原文出版	联经出版事业公司
出版发行	凤凰出版传媒股份有限公司 译林出版社
出版社地址	南京市湖南路1号A楼，邮编：210009
电子邮箱	yilin@yilin.com
出版社网址	http://www.yilin.com
经　　销	凤凰出版传媒股份有限公司
印　　刷	江苏凤凰盐城印刷有限公司
开　　本	889毫米×635毫米 1/16
印　　张	10.5
插　　页	4
字　　数	111千
版　　次	2013年10月第1版 2013年10月第1次印刷
书　　号	ISBN 978-7-5447-4465-2
定　　价	25.00元

译林版图书若有印装错误可向出版社调换
（电话：025-83658316）

导读

江苏省语文特级教师
喻旭初

一个人的辉煌，不能只看他成名之后的荣耀，而应着重看他成名之前的艰苦付出。读《居里夫人》，应重点关注她青少年时期的表现。我认为，居里夫人最值得大家学习的有以下几点。

爱读书，爱实验，为她成为科学巨人奠定了基础。四岁时，她就能认得许多字了。书中写道："玛妮雅像个跟屁虫，东问西问，还要打破砂锅问到底，她就是要学习认字。"五岁时，朗读书本，她比姐姐流畅得多，这让父亲惊讶不已。她的学习习惯很好。在上女子学校时，"课前有充裕的预习，上课专心听讲，回家后再复习，所以她能在课堂上每次都正确地回答问题"。上大学后，她日益重视做科学实验。利普曼教授发现，"玛丽的实验做得非常认真，也很细心"，决定让她当助手。经过努力，她获得了物理学学士考试第一名，成了该校获此荣誉的第一位外国女性。这为她日后获诺贝尔物理学奖打下了坚实的基础。

爱祖国，爱民众，为她形成高尚品格创造了条件。在华沙，十岁的玛丽面对俄国督学，非常反感，“她想，我是波兰人，为什么要在俄国的督学面前卑躬屈膝？我是波兰人，为什么不能公开说波兰话？我是波兰人，为什么无法公开学习波兰的历史？”爱国的种子早早播进了幼小的心灵。十六岁时，她基于强烈的爱国心，冒着被警察逮捕的危险，去教不识字的穷苦女工们读书、写字。为了跟女工们打成一片，她把美丽的卷发剪短了。她仿佛看见一把知识的希望之火，“她深信这把火在未来一定可以烧出国家独立的希望”。对祖国的挚爱，对民众的关心，使她的人格在岁月的历练中得到了升华。

生活刻苦，俭朴一生。在巴黎求学时，为了节省油灯钱，她到附近的图书馆去看书。“如果四周太嘈杂，她会跟小时候一样，用两手捂住耳朵。”图书馆关门后，她回到阁楼的小房间，“点起油灯，继续苦读到凌晨两三点钟”。寒冬，脸盆里的水结成了冰。她把所有的衣服都拿出来铺在床上，再在被子上压上一把椅子。这种生活恐怕是当今的青少年难以想象的。赴美访问期间，在白宫为她举办的盛大酒会上，“俭朴的玛丽，身上穿的，还是十几年前她第二次领取诺贝尔奖时所穿的那袭黑色镶花边礼服”。她看重的是奉献，而不是打扮。节俭是一种生活态度，也是一种美德，它会转化成巨大的道德力量。

发现和提炼镭，居里夫人付出了极其艰苦的辛劳。书中对此有详尽的叙述。获诺奖后，她终于摆脱了贫困，但她丝毫不慕金钱，而是更加“专心地做研究”，并把一部分钱捐给三个科学学会。在她心里，事业永远是第一位的。她把生命融入了科学，直到离世。难怪爱因斯坦在悼念她的文章中说，她的科学贡献和人格力量是 20 世纪里无人能与之相比的。

本书虽然写的是科学家居里夫人的一生，但字里行间洋溢着浓郁的人文气息。居里夫人的恋爱，丈夫遇车祸后的悲痛，与子女的交谈，获奖

后邀中学恩师去巴黎，临终前安静的笑容，无不饱含浓浓的人情味，读来令人动容。

书的结尾这样写道：“她就像镭一样，即使千万年以后，仍然能够在幽暗里放出微弱却又清晰可见的光。”作者以镭作比喻，歌赞了居里夫人的科学之光、智慧之光、人性之光，真是既贴切又精彩。

“后记”也值得一读。林月娥女士以动情之笔，写出了她真切的体会：“生命，就是要这样精彩；生活，就是要这样投入。”虽然居里夫人离开我们已 80 个年头了，世界发生了巨大的变化，社会有了更多进步，但浮躁之气和功利之心，直接或间接地干扰着人类的健康生活。静下心来读一读《居里夫人》，每个有良知的人，尤其是正在求知的青少年，定能从中汲取宝贵的精神营养，从而有益于自己的人生。

目录 CONTENTS

波兰华沙的童年生活

因发现镭而闻名于世，且因两次获得诺贝尔奖而享有盛名的居里夫人——玛丽·居里，她原名玛妮雅·斯卡洛多斯卡，公元 1867 年 11 月 7 日出生于波兰华沙的一个书香家庭。

玛妮雅的家人，除了爸爸和妈妈，还有三位姐姐和一位哥哥。大姐苏菲亚、和玛妮雅年龄比较接近的二姐赫拉、三姐布罗妮雅，以及哥哥约瑟夫，他们经常在一起玩耍。

冒险

这是一个花香四溢的春天，乡间的道路两旁，野花野草处处点缀着，像是一张色彩缤纷的大地毯。玛妮雅和哥哥姐姐就在这张大自然赐给的彩色地毯上，尽情地奔跑、追逐。

“今天的跑步路线，是田埂。”轮到赫拉指定奔跑范围。

“当心别掉到田里面去。”约瑟夫说。

约瑟夫为什么要这么说呢?

有一次,他在不经意中翻滚到泥泞的田里面去,沾了一身泥巴。不远处的小河,帮忙解了这个围。在河水中,大家虽然有些紧张,还是有说有笑地,合力冲洗干净。

当天回到家,衣服是干了,但手脚受到的擦伤痕迹还在,被爸妈看出了破绽。得到了什么教训呢?除了被狠狠地教训一番,还被处罚关一个星期的禁闭。

这是一个深刻的印象。他们每次还要玩赛跑游戏,就会在脑海中浮现这个景象。

听约瑟夫说别掉到水田里,玛妮雅自言自语地说:"在水田里,到底跑不跑得动?

在水田里和在田埂上,会有什么差别呢?在水田里走路,感觉怎样?当然比较慢,可是……跑步呢?……"

玛妮雅想了很久,"好吧!下次再来试一试。"她把这个想法,藏在心底。

"开始——"布罗妮雅的口令一开始,人人都奋力往前冲。玛妮雅张开双手,平衡身子,快捷地绕过这块田,再绕过那块田。

"你为什么要绕路走呢?这样做不是很愚蠢吗?这样做,怎么会跑得比我们快呢?"布罗妮雅很不解地一连问了好几个问题。

"我喜欢看不同的景色!我发现,每一块田都藏着不同的秘密,我最喜欢发掘不一样的东西。走同一条路,那会很无趣。你们走这条路,我走另外一条路,看哪一条路比较有趣,这样好不好?"

"好吧!但是,不可以耽搁太久的时间。"布罗妮雅叮咛着说。

玛妮雅点点头,一溜烟就不见人影。玛妮雅喜欢每次都有不同的尝试,这次的新尝试,是……和姐姐们分开以后,她如鱼得水般地快速向前

奔去。

玛妮雅跑向一个草丛，她用树枝在松松的土地上挖了一个小洞，用枯叶把小昆虫引到小洞里。她坐在小洞旁边，悄悄地看着小昆虫，和它说话，说她们俩听得懂的话。

她说："这里是属于自己的秘密角落。"她起身到小溪旁，正要去捧水来玩，忽然想起"不要耽搁太久"的叮咛，赶紧起身又往前奔跑。

玛妮雅多么喜欢在大自然里，玩着各种有趣的大地游戏啊！

一个夏天的午后，玛妮雅和表哥表姐来到了半山腰的树林里。

这片山林的树木高挺，枝叶茂盛，健康的翠绿色，十分吸引人。

跟以前一样的爬树比赛，就要开场了。

"看谁先……"话还没说完，表姐快步走向属于她的树木；玛妮雅手脚利落地往上爬去；表哥伸出灵巧的双手，一下就跳上树枝……

"耶！你看我……"得意的笑声，从树干间传送出来。一棵树挨着一棵树，一个人占着一棵树，身影从树底下快速地往上移动。欢笑声不绝于耳，感染了小小山林。

"我，我先到达树顶。"

"我也到了。"

"我……"

谁是最后到达的，这个结果，大家并不在乎；在乎的，是得到了几次第一。

对玛妮雅来说，爬树不只是爬树；爬树是手脚并用的运动，是刺激身体反应的运动，也是与生俱来的自我挑战行为。

"我很喜欢这样的冒险。"她总是乐此不疲地参加兄弟姐妹间的挑战活动。

刚从树梢回到地面上，气喘吁吁的玛妮雅说着："这是我第三次得第一名了。”

大家也都开心地、陆续地说出自己得了几次第一名。

在表姐家，可以在谷仓间玩捉迷藏，玩打水仗，玩得十分尽兴。

阅读

玛妮雅在她四岁的时候，就已经认得许多字了。

“姐姐，这是什么？”

“姐姐，这个字怎么读？”

在大姐苏菲亚的房间里，玛妮雅像个跟屁虫，东问西问，还要打破砂锅问到底，她就是要学习认字。

当姐姐告诉了她以后，她很快就记住了。从一个字开始，到一个语词，她慢慢开始了波兰文字的学习。

过了一阵子，玛妮雅开始模仿大姐读书的样子，有事没事就拿着大姐的书本，口中念念有词地说着。她其实是看着图，说出自己心里想说的话。她把许多字记在脑海里，一有机会就蹦出来，吓吓大家。

等玛妮雅到了五岁的时候，她已经可以单独看简单的图画书。她也常常在院子里走来走去，口中念念有词，小大人般有模有样地念着故事书。

一个星期天的晚上，吃过晚餐以后，玛妮雅和家人一起围坐在客厅里。

忽然，爸爸对布罗妮雅说：“你的书本呢？拿来念给大家听听。”

八岁的布罗妮雅，从抽屉里取出她的书本，打开它，开始大声地读。但是，才读不到四句，她就已经结结巴巴，读得并不顺畅。

玛妮雅就坐在姐姐布罗妮雅身旁,听到她结巴的声音,再看她一眼,发现布罗妮雅紧张得急出满头大汗。玛妮雅终于忍不住了,她把布罗妮雅手上的书,很自然地拿了过来,放在自己的双腿上,嘟嘟囔囔地就读了起来。

妈妈惊讶极了,她用近乎不可思议的声音说:"玛妮雅,你!你……"

爸爸呢?爸爸的脸部表情和妈妈的表情大异其趣。爸爸十分严肃地说:"怎么会这样子呢?玛妮雅不过才五岁,五岁而已,怎么会读得这么好呢?而布罗妮雅八岁了,八岁的姐姐都还不太会读呢,五岁的妹妹竟然读得这么流畅,简直不可思议!"

布罗妮雅听了爸爸的一番话,十分难为情,扑到妈妈的怀抱里,哇的一声,痛哭了起来。

玛妮雅被这个突如其来的变化吓呆了,还以为自己做错了什么事情,于是,她也跟着大声哭叫着说:"对不起,对不起,布罗妮雅,姐姐,我以后不敢了。我不是故意要这么做的,我只是觉得这本书很简单,很简单,我就把它大声地读了起来。"

这件事情过后,玛妮雅成了姐姐的跟屁虫。布罗妮雅从学校带回来书本,玛妮雅就跟着她学着读。她常常跟布罗妮雅两人挤在一张椅子上,一个人左手,一个人右手,共同拿着书本,一字一句地读着。

读到差不多很熟练了,人小点子多的玛妮雅,开始出主意了。

"姐姐先读一句,我读一句;你读两句,我也读两句。这样可以吗?"玛妮雅说完,做着鬼脸瞧了布罗妮雅一眼,识字的速度比较慢的布罗妮雅,同意地点了点头。

她们就依照约定的规则朗读着。才没有多久,布罗妮雅近乎翻脸地说:"你,你,你怎么读那么多句?不是说好我先读的吗?"

玛妮雅顽皮地吐着舌头,赶忙道歉:"好好好,对不起!谁叫你读得那么慢，真叫人着急哪!”

玛妮雅还没有进学校读书，却和布罗妮雅一起学习，从布罗妮雅那里得到许多阅读的乐趣。布罗妮雅也在和玛妮雅的竞读中，逐渐进步。

爸爸和妈妈看着两位小女孩的读书情况，觉得很不错，于是想出鼓励的方法。一天晚餐后，爸爸又说话了：“布罗妮雅，你的书本呢?”

这次，布罗妮雅不再害怕，也不再紧张了。她从容地取出书本，准备开始朗读。突然，玛妮雅插了嘴：“我可以跟布罗妮雅一起读吗?”

爸妈会心地互看一眼，点了点头。

就像平常挤在一起阅读的样子，两位小女孩共拿一本书，轮流读了起来，十分顺畅。她们读完以后，家人的掌声响起，两人也露出开心又得意的笑容。

“不错，布罗妮雅进步了，玛妮雅也很好，跟着学了这么多。”妈妈赞美的声音，多么清朗动人!

“好吧，就这样，以后每个星期，我们都抽出一个晚上，让她们来读一本故事书。”爸爸宣布着。

小小年纪的玛妮雅，已经陶醉在读书的喜悦上，也展现了她在阅读上的天赋。

听故事

和其他喜欢听故事的小孩子一样，玛妮雅和哥哥姐姐们常常围绕着爸爸，期盼着讲故事时间的来临。

爸爸是一位讲故事高手。他会讲许多故事。他讲音乐家的故事，美妙的音乐，仿佛流淌过大家的内心深处，滋润着他们幼小的心灵；他讲各

国的童话故事,故事里的人物,就活生生地出现在眼前,似乎在跟他们打招呼呢!讲科学的各种故事……

星期六的晚上,又到了讲故事时间。

"今天讲什么故事呢,爸爸?"约瑟夫靠着躺椅,望着星空,仍然不忘听故事。

"讲爷爷的故事,可以吗?"玛妮雅撒娇地问着。

"讲爷爷是小学校长的故事,这是我最听不厌的故事。"卓西亚嚷着起哄。

爸爸也很喜欢听故事的,他的爸爸也喜欢讲故事给他听。爱听故事,也爱讲故事的爸爸说:"爷爷能当上校长,可是十分不容易的。"

"为什么?"

"爷爷的家里,很贫穷,没有足够的学费让他安心读书。更多的时候,他是在家里帮忙做农事。

"爷爷经常利用农闲的时间读书,遇到不明白的地方,就去请教长辈或是学校老师。"爸爸停了一下。约瑟夫接着问:"爷爷是怎么一边帮忙做农事,一边读书的呢?"

"哦!这不难。他把书放在口袋里,休息的时候躲在树荫下读。"

"这样很热呢!"

"可是想到读书可以出人头地,他就不怕炎热了。"约瑟夫似懂非懂地点点头。

"爷爷认真把书读好了,也当上了老师。"

赫拉听得很入神,她说:"当老师,再当校长,很神气的。"

爸爸继续说:"爷爷当老师的时候,十分喜爱他的学生;当校长之后,更是喜欢帮学生的忙。

"曾经,有一位学生的爸爸去参加抗争活动,后来失去了性命,家人伤心欲绝、痛不欲生。这个时候，爷爷出现了。他亲自去慰问学生的家人，还找到善心人士，有钱出钱，有力出力，协助解决了学生家庭生活上的问题。”

“结果呢？”玛妮雅忍不住插了嘴。

“爷爷先让这位同学住在家里，提供吃和住，让他感觉到温暖。经过一段时间，再回到他妈妈身边。

“这位同学在失去父爱以后，更加努力，他发愤图强，决定要勇敢地度过这段艰苦的日子。

“他后来表现很优异，长大后也很有成就。不但每年都会来我们家，对当年爷爷伸出援手表示谢意，而且他也成立了一个关心学生的团体，专门帮助需要帮助的同学，让他们可以安心读书，健康长大。”

玛妮雅的爸爸是家里的老大，常跟着爷爷在学校里。学校的图书馆像一块大磁铁，牢牢地吸住他，成为他流连忘返的地方。哪些书籍对爸爸有致命的吸引力呢？

文学的书籍。他读了许多文学方面的书籍，世界各国的文学，小说、历史、诗歌、戏剧，等等。

科学的书籍。科学里的小小故事，给他许多启示；科学里的实验，教他许多研究科学的方法，最后，使他成为自然科学的老师。

音乐的书籍。从书里面，他知道了世界各国的音乐；聆听音乐，也增进了他文人的气质。

“爸爸，您成为学校里的教师，是不是受到爷爷的影响？”

“为什么您可以朗读英国、法国和德国的故事？”

“为什么我们可以听到许多美妙的音乐？”

玛妮雅和哥哥姐姐们，你一言我一语地问着。这一连串的为什么，却也说出了孩子们对父亲拥有丰富学养的崇敬。

“那个时代，能说四种语言，对很多读书人来说，是轻而易举的事。他们不但会希腊文和拉丁文，还能熟读诗篇，有的甚至还能写诗。”

家里唯一的男孩约瑟夫，回应爸爸的话说：“我很欣赏他们的博学，我希望以后也可以学到四种语言。”

玛妮雅人小眼光可不小，她不落人后，不愿输给哥哥，语气坚定地说：“我也是，我很羡慕他们。我以后一定要做到会说四种外国语言。”

有趣的是，长大以后，成为悬壶济世的医生的约瑟夫，以及成为世界科学界知名人物的玛妮雅，都印证了这个时候所立下的宏愿。

家人之间充满趣味的对话，显示了玛妮雅家人彼此之间的亲密关系。正因为家人重视的是精神食粮，所以追求知识和学问，就成了他们一家人的生活目标。

吸引力

玛妮雅的爸爸，伍拉迪斯劳·斯卡洛多斯卡先生，在波兰首都华沙的诺沃利中学教物理，是自然科学老师；后来还兼任了一个职务，就是助理督学。

爸爸的书房里，四周的墙面上挂着几幅肖像，玛妮雅对这些并不感兴趣。她不喜欢肖像，心想：肖像，不过就是人物的样子，冰冰冷冷的，一点也不好玩。

书房靠墙的地方放着一个玻璃橱柜，橱柜旁边的架子上面，摆着漂亮的红花瓶；玛妮雅感觉摆饰的花瓶看起来很容易被打碎。这个大人的房间，像宝库一样吸引人，令玛妮雅感到新奇有趣的东西实在不胜枚举。

在房间的正中央，有一张桃花心木材质的大书桌，表面上冰凉平滑，摸起来很舒服，她感到好玩又好奇。当她背着手凝视红花瓶以后，就不知不觉地走向书桌，双手也不自觉地伸了出来，去体会那种感觉。

书桌上有一个时钟，放在西西里岛式的大理石台上面，颜色五彩缤纷，玛妮雅先是注视着时钟的镜面好一会儿，然后，用手指轻轻地、轻轻地摩擦大理石的台座。这感觉滑滑的，她觉得很好玩。时钟还不停地发出"滴答、滴答"的声音，也很令玛妮雅着迷。

书房里，还有一样东西，也深深地吸引了玛妮雅。她虽然不知道那是什么，但是又觉得那个东西很奇妙，也很神秘。那是一条长长的玻璃管子，闪闪发亮地挂在墙壁上；管子上面刻着红色的横线，管子里面的银色液体，有时会上升，有时会下降。

姐姐们每天都会跑来看，看看那个银色的液体，今天跑到横线的什么地方了。这个时候，玛妮雅跟在她们的后头，踮起脚尖，好奇地跟着看。她也很想看这支神秘的玻璃管子呢！到底这支神秘的玻璃管子是什么呢？

终于，机会来了。这一天，玛妮雅跟往常一样，又在爸爸的书房里东看西瞧。爸爸进来了。

"爸爸，这是什么东西呢？"

"哦，是'晴雨计'啊！"

"晴雨计，是做什么用的？"

"你看，这是水银柱，这是指针，这是气压表，用来标记晴天或是下雨天的。"爸爸很有耐心地一边指着晴雨计，一边说明给她听。

"哦！是这样子的哦。"玛妮雅年纪太小了，听得似懂非懂。但是，在听过爸爸的解说以后，她已经把"水银柱"、"指针"、"气压表"和"标记"这些名词，都记在脑海里了。

她还跟爸爸说："下雨，不下雨，是可以预测的吗？实在是太神奇了。"

除了晴雨计，玻璃橱柜里还摆有各式各样的实验器材：尺寸大小不一的玻璃实验试管；可以测量长度的尺子、三角板；画出圆形的圆规等测量器具；镀上金箔的玻璃瓶……

样式奇特、形状不一、有时还能闪着微弱光芒的矿石，这些都是玛妮雅喜爱的东西。事实上，爸爸书房里的每一样东西，都深深地吸引住玛妮雅的好奇心。

“咦！这是什么呢？”玛妮雅小心翼翼地从桌上拿下一样东西，放在手上，目不转睛地望着、用心地思量着；这样东西对她来说，简直像魔术般，充满了神奇。

“爸爸，这是什么？做什么用的呢？”

爸爸靠近玛妮雅，轻轻地回答：“这是用来做实验的器材。”

“实验，什么叫做实验？我也想找一样物品来做个实验，应该挺有趣的吧？”

爸爸接过玛妮雅手上的器材，放回原位，摸摸玛妮雅的头，笑着说：“玛妮雅，乖孩子，你什么都想知道，什么都想动手做一做。”

玛妮雅靠着爸爸，撒娇地再追问：“爸爸，到底能不能做实验嘛？”

“好好好，当然可以，我们一起来试试看。”

自然科学老师的爸爸，对玛妮雅小小年纪就喜欢物理器材，感到有些不可思议，他还想再试探一下。

“玛妮雅，我们去妈妈的房间，看看布娃娃，很漂亮的哦！”

玛妮雅使劲地摇摇头，紧紧拉住爸爸的手，不肯离开这个房间。

爸爸想起他小时候也曾经十分迷恋科学啊！他再仔细地看了小玛妮雅一眼，不禁恍然大悟起来。玛妮雅和他以前一样啊！

不知道爸爸在想些什么的玛妮雅，手指着桌上、玻璃橱柜，那些琳琅满目的实验器材，才是她想要玩的东西。

"爸爸,我们可以用哪种东西来做实验呢?"

爸爸眼看打马虎眼是不行的,在玛妮雅穷追不舍的逼问下,只好妥协。他陪着玛妮雅挑选了一个最简单的东西,开始了他们最简单的小小实验。物理的实验器材,对玛妮雅可真有非凡的吸引力哦!

妈妈的爱

玛妮雅的妈妈,出身于地主家庭。后来,波兰发生战争,家里的财产被摧毁了,但是家里仍然让她到专门提供女孩读书的寄宿学校受最好的教育。

从学校毕业后,她当上了老师,并因为表现十分优异,被聘为校长,是一位棕发灰眼的漂亮女校长。学校配给她的宿舍,是一间小小的公寓。她结婚以后,就住在这间公寓里,玛妮雅和哥哥姐姐五位兄弟姐妹,都是在这里出生的。

家里排行老幺的玛妮雅经常自言自语地说:"我最喜欢妈妈了,妈妈是多么温柔,多么美丽啊!世上,再也没有人可以比得上她。"

温柔又美丽的妈妈,身体却是虚弱的。她和其他的家庭主妇不一样,无法烧一手好菜给孩子们吃。她每天缝缝衣服,做做鞋子。这些衣服和鞋子,都十分精巧、漂亮。

"我最喜欢穿妈妈做的鞋子。"玛妮雅穿着鞋子,开开心心地跑出去玩。

哥哥姐姐都去上学了,妈妈会唱歌给玛妮雅听。玛妮雅常常说:"我最喜欢妈妈了,妈妈是世上最好的人,妈妈是世上最爱我的人。"

每天晚上,妈妈都会来到房间,但是,她只是用手轻轻抚摸她柔软的头发和光滑的额头，并柔柔地说：“玛妮雅好乖，玛妮雅是个好孩子，玛妮雅乖乖地睡吧！”

妈妈从来不曾在她的面颊和额头上亲吻。不过，有了妈妈温柔的催眠声音，玛妮雅心满意足地甜甜睡去。

平常，如果玛妮雅想亲近妈妈，想在她的怀抱里撒娇，妈妈好像要躲开什么似的，总是借故说：“玛妮雅，乖女孩，到外头去玩吧！”

“为什么？妈妈不喜欢我吗？”玛妮雅离开之后，心里有些寂寞。玛妮雅怎么会知道，她心爱的妈妈罹患了可怕的肺结核病。那个时候，结核病还没有可以治疗的药物，而且很容易传染给他人。

原来，玛妮雅的妈妈在出生后没多久，便得了这种无法治愈的病。可怜的妈妈因为怕传染给孩子，自己暗暗下了决心，绝对不亲吻孩子。

妈妈的身体愈来愈虚弱，常常有气无力地咳嗽，在孩子们没有察觉的情况下，病情一天比一天严重。后来，也不知道是什么时候开始的，爸爸在用餐前的祈祷文里加了一句：“神啊！请保佑妈妈，请让她早日恢复健康吧！”由于每天都要祷告，玛妮雅没有感觉出这段话有什么不对。她一直以为妈妈会跟爸爸一样，永远陪伴在她身边。

痛失亲人

玛妮雅的爸爸在升任高级中学的助理督学后，全家搬到中学分配给他的公寓。

妈妈的身体已经十分虚弱，大姐苏菲亚十二岁，看起来却像个小大人，非常成熟懂事。她分担了爸爸和妈妈的责任，照顾弟弟妹妹。

1874 年，玛妮雅刚好七岁。

有一天,学校举行学期考试,已经很晚了。

“爸爸怎么还不回家?”玛妮雅靠在妈妈坐的椅子旁边,轻轻地问妈妈。“不知道学校发生了什么事情。”妈妈也很迷惑。

忽然,大门开了,爸爸拖着沉重的脚步回家了。“你的脸色不太好看,身体不舒服吗?”妈妈担心地望着他。爸爸全身无力地瘫在椅子上,什么话也没说。苏菲亚注视着爸爸的眼神,玛妮雅看看爸爸,又看看妈妈,再看看姐姐,这个时候的气氛不太对劲。

过了一会,爸爸终于开口了:“说不定我们就要离开这个宿舍了。”

“真的?是什么原因?”妈妈吓了一跳。

“今天的学期考试,有一份试卷,用波兰语解答,答案写得很好;那个学生平常的表现也很优异,我给他很高的分数,没想到……”

“这样做不行吗?”

“校长说,不是用俄语写的答案,是不能承认的。”

“他是不是一直想要挑你的毛病?”

“今天的事情,可能只是一个借口。我可能中了他的圈套。”

“用波兰语回答又没有错。”苏菲亚想替爸爸辩解。

“苏菲亚说得对,你的做法是正确的,我很支持你。”妈妈说。

“可是,以我们目前的经济能力,我很担心,我们恐怕没有能力找到适合你的房子,让你好好静养。”

“不要紧,你做出没有愧对波兰的事情,我为你感到光荣。”妈妈一方面安慰爸爸,却还是叹了口气。

爸爸和妈妈所担心的事情,很快就发生了。

这年暑假,玛妮雅的家人到乡下去度假,当他们回到宿舍的时候,看到了一张通知单。通知单上说,爸爸身为督学,竟然违抗学校的规定。从现在开始,免除督学的职务,薪水也减少了。

“爸爸，校长是俄国人，对不对？”爸爸点了点头。

“哼，俄国人都是这样，不准许我们说波兰话，也不准许我们写波兰字。真是可恶。”苏菲亚愤愤不平地说着。[1]

“苏菲亚说得对，俄国人真是可恶。”

玛妮雅不是十分明白，无法深刻地了解问题。但是她却知道，身为俄国人的校长，似乎对他们很不友善。

玛妮雅一家人离开了学校的宿舍，搬到了一幢公寓去。爸爸的薪水减少了，家里入不敷出。

“把家里隔出空位来，让成绩不太好的学生住在这里，晚上的时间还可以为他们补习功课。”爸爸征求妈妈的同意，学生的补习费，贴补了生活的费用。

刚刚开始收留了两位，然后三位、五位，最多收了十位学生。放学以后，人多的家里很像菜市场，非常热闹。

苏菲亚要照顾这些学生，很辛苦。她讲故事给他们听，他们都很喜欢这些有趣的故事；她安排他们演戏，戏演起来很逼真，内容很精彩，玛妮雅看得很入迷，笑得很开心。

那个时候，华沙市蔓延着可怕的伤寒病，许多人罹患这种病不幸死亡。

悲剧也在玛妮雅家里上演，刚开始，一位寄宿的学生被感染，接着是苏菲亚，后来布罗妮雅也被传染上了。

布罗妮雅的身体抵抗力强，很快就复原。健康、活泼的苏菲亚，却一病不起。

家人从早到晚，一刻不停地照顾苏菲亚，但是没有用，她的病情恶化

1 长期以来，波兰的国王，大多是无能的。波兰国内的贵族，拥有选举国王的权力；波兰国会由贵族所控制，他们阻挠改革的议案，国力渐渐衰退。

得很快，没过多久还是敌不过病魔的侵蚀，终于离开人间。

玛妮雅紧紧靠在苏菲亚的身边，放声大哭："姐姐，不要，我不要你死嘛！"温柔的大姐，对玛妮雅一向很好，这次却没有伸出手来抚摸玛妮雅。十七岁的她，只是静静地躺在那里，两只眼睛紧紧闭上，脸上有说不出的美丽。

祸不单行，玛妮雅的家庭，又遭遇了不幸的事情。

"我们这里有很好的投资，你可以加入，保证可以赚到不少钱。"一个远房亲戚这样告诉爸爸。

"好吧！这可是我一点一点存下来的，你可不能骗我。"

"你放心，这一家面粉工厂，将来出产的面粉，可以销售到各地去，不会赔钱的。"亲戚说得天花乱坠。

没过多久，面粉工厂宣告倒闭，爸爸投资的3万卢布（俄国的货币单位）全泡了汤，没有得到利润，本钱也全部赔掉了。

3万卢布是爸爸的血汗钱，准备供给玛妮雅和哥哥姐姐读书用的。爸爸伤心极了，妈妈也很伤心。那位远房亲戚，就是妈妈的哥哥、玛妮雅的舅舅。"你不要难过，都是我不好，我太贪心了。他说会赚很多钱，我没有想清楚就花了那么多钱。"爸爸试着安慰妈妈。"不，不是你的错，你不了解我这个哥哥。他以前常常来向我借钱，我没有告诉你。他来向我借钱，从来没有还过钱，我不敢告诉你。"妈妈说着说着，趴在桌上哭了起来。

爸爸能做些什么呢？他要安慰妈妈，不要让妈妈的病情恶化。约瑟夫快要开学了，爸爸要想办法去筹学费。他整天愁眉不展。

苏菲亚病逝，妈妈很受打击；爸爸的钱没有了，妈妈很自责。

妈妈的病情更加恶化，身体一天比一天虚弱。玛妮雅经常虔诚地祷告，祈求上天保佑妈妈："神啊！我祈求您，请让我的妈妈早日恢复健康，我愿意代替妈妈生病……"

玛妮雅日夜担心的噩梦，还是躲不掉。1878 年的夏天，医生无奈地表示，妈妈的病，已经无药可治了。

家人围绕在妈妈的身边，神父来做临终祷告。妈妈慈祥、安静的眼神，注视着每一个她心爱的家人，深情款款，却又百般不舍，她低声说着：“我爱你们……”留下这句珍贵的话，然后，合上双眼，妈妈就与世长辞了。

这是苏菲亚过世不到两年发生的事情。玛妮雅在两年内，失去了亲爱的姐姐和妈妈。

华沙的求学过程

我是波兰人

玛妮雅出生的前四年，1863 年 1 月的某一个晚上。

俄国警方在华沙大举逮捕了一些年轻人，他们涉嫌颠覆统治的俄国政府。这些年轻人被捕以后，被强制加入俄国军队。

这事件不但没有平息，还引发了一场不小的暴动。华沙青年和俄国警方的斗争持续了 18 个月，结果，华沙城墙上竖起五座绞刑架，五位波兰反抗运动领袖的尸首悬挂在绳索上晃荡，令人怵目惊心。

那个场景，是用来严重警告波兰人：反抗是没有用的。

就在玛妮雅出生那一年，俄国统治下的波兰，连“波兰” 这个名字也保不住，改名叫做“维斯杜拉领土”。波兰的语言被俄语所取代，成为官方语言。

玛妮雅十岁了，她和姐姐们一起在华沙市的一所女校就读。她们平常头上都绑着小辫子，身上穿的是深蓝色的制服，白色的衣领浆得硬挺，

显得活泼又端庄，是十足可爱的女学生。

俄国语已经是官方语言。在学校上课时，一律要说俄文，写的也是俄语。为了要检查学校是否确实使用俄文上课，俄国的督学常常到学校去临时抽查。但是，波兰人多么渴望用祖国的波兰话来学习，波兰籍的老师也会偷偷利用一些课程来教学生。

1878 年的某一天，玛妮雅的班级，课表上排的是女红课，学生桌子上却摆着笔记本，摆着波兰文课本，老师用波兰语在讲述波兰的历史。

老师说着说着，提出了一个问题："史坦尼斯瓦夫·奥古斯特是什么人?"玛妮雅毫不迟疑地举手，回答说："他在 1764 年获选为波兰国王。"她用流利的波兰语，继续不疾不徐地说着："国王很英明，他很了解波兰王国逐渐衰落的问题所在，力求解决。不幸的是，他个性懦弱，缺乏勇气。"

老师听了很高兴，班上 25 位同学也听得津津有味。这样做，当然违反规定，在俄国统治下，是不能说波兰语，讲波兰史的。可是，不这么做，波兰人怎么办呢?

忽然，"铃——铃——铃——"学校的紧急铃声连续响了三声，这是俄国督学来学校抽查的信号。

这时，波兰籍的女老师慌张地把散落在桌子上的书本收好。教室里 25 个女学生，动作迅速地将波兰语的历史课本，一本接着一本收进一个大袋子，藏进通往宿舍的门里面。

从教室望向窗外，白雪覆盖着的草坪，在阳光的照射下闪烁着明亮的光芒，平静一如往常。

过了一会儿，教室门被打开了，一个俄国人走进教室，他身材肥胖，穿着红色长裤，蓝色上衣镶着闪闪发亮的扣子，脸上戴着一副金边眼镜，看起来威风凛凛，一脸的严肃。他就是临时来学校抽检的督学。紧跟在督学后面的，就是女校长。她很担心督学这样冲进教室，万一学生们露出马脚，那可怎么办？她面色苍白，十分紧张。

女孩子们手里拿着一块方布巾，正专心地在刺绣，课桌上摆着剪刀和刺绣等物品。她们一脸纯洁无辜的样子，缓缓抬起头来，望了望督学，也望了望校长。至于讲台上，摊开着一本教学女红的俄文书，老师若无其事地跟贵宾打招呼。

女校长开口介绍："督学先生，这堂是女红课。在我们这个女校，孩子们一星期排有两节女红课。"

督学不相信校长的话，他一言不发地走到学生的桌子旁边，逐一打开抽屉，想知道她们是真的在上女红课，还是假的；想知道他怀疑的波兰语课本，是否藏在这里。他一连打开五六张抽屉，结果，抽屉是空的，什么也没有。

这个时候，拎着大布袋去藏书的学生们正好回来，她们看到督学，并没有露出惊慌的表情，若无其事地回到自己的座位上，开始做裁缝。显然地，面对这种突如其来的抽查事件，这群学生已经能够镇静地完成收藏课本的工作。

督学不肯罢休，他看看老师桌上的书本，问她说："当学生在做裁缝的时候，你都是在念书给她们听吗？"

"是的。"女老师也很镇定地回答。

"是什么书？"

"是俄国的短篇故事集，现在正准备开始念给她们听。"

督学一听是俄国的故事，也无话可说。但是，他不肯就此罢休，干脆找了一张椅子坐下来，准备口试，想知道老师到底有没有认真在教俄国的历史。

督学以近乎严厉而且令人生畏的眼神，向全班扫视一番，然后命令老

师说："我要考一考小朋友，你指定一个学生来回答我的问题。"那一瞬间，教室的气氛凝重，几乎令人窒息。

"不要叫我，千万不要叫我……"每个人的心里，都这样祷告着，当然，玛妮雅也不例外。忽然间，老师用手指向玛妮雅，说："玛妮雅，就你吧！你来回答督学的问题。"老师知道玛妮雅的俄语说得很不错，平常反应也机灵。

玛妮雅平常虽然显得有些害羞，心中也有些忐忑不安，现在却勇敢地站了起来，向督学深深一鞠躬。

"你，念一段祈祷文，给我听听！"

"天上的父啊……"

玛妮雅的俄语字正腔圆，还带点儿圣彼得堡的口音。她念的祈祷文优美而流利，简直和土生土长的俄国人没什么两样。

这只是第一关，督学毫不留情地问道："凯瑟琳二世之后，我们俄国的君王有哪些？把他们的名字一一说出来。"

"凯瑟琳二世、保罗一世、亚历山大一世、尼古拉一世、亚历山大二世……"

"我的头衔是什么？"督学真是紧追不舍啊！

"是来视察我们的督学。"玛妮雅对答如流，表现得完美无瑕。

如果要确定这所私立小学的课程安排得恰不恰当，还能问些什么呢？督学想了想，继续追问着："那么，现在统治我们的伟大君王，又是谁呢？"

校长和老师都呆住了，20 多位女孩子也吓坏了，看来，大家的命运都取决于玛妮雅的回答。

玛妮雅犹豫着，没有答话，她的心中浮现起爸爸。爸爸就是因为容许学生用波兰语写学期考卷，而失去了学校督学的职位，薪水也减少，让她

学习外国语言，也要学习外国地理和外国历史，数学的内容也逐渐加深。

这些课程如果使用波兰语学习，他们可能轻而易举；但是，回到学校，他们必须使用俄国语来回答。他们使用俄语的能力还不够；学习显得十分困难。

玛妮雅像魔术师一般，可以说出流利的波兰语和俄语，德语也不例外。她很快就完成了她的家庭作业，接下来是她帮助那十个寄宿生的时间，帮助他们完成功课。玛妮雅成了一位小小老师。

从小就喜欢阅读的玛妮雅，一有空闲，一定手不释卷，埋首于书堆中。这时，她忙完了所有的事情，开始读书。赫拉坐在她的旁边，大声朗读，令她感觉很吵；她把手肘放在餐桌上，用大拇指捂住耳朵，不想理会。

顽皮的表姐和玛妮雅的两位姐姐商量好以后，趁玛妮雅专注入神时，在她身边偷偷堆满了椅子，屏住笑声在旁边守候着，准备要看玛妮雅的笑话。

时间，一分一秒地过去。玛妮雅还是全神贯注在课本上，丝毫没有觉察出有什么异样。忽然，她轻轻移动座椅，堆在她四周的椅子，立即哗啦啦地倒了下来，女孩子们一方面开玩笑得逞，一方面看玛妮雅有些意外、难堪，忍不住开心地哈哈大笑了起来。

玛妮雅一脸不高兴，她站了起来，揉了揉被撞伤的肩膀，捡起掉在地上的书本，瞪了一眼说："无聊！"然后神情不悦地走了出去。

金质奖章

玛妮雅在女子学校里的生活过得非常快乐。她与生俱来的一些天赋，让她成为老师钟爱的明星学生。

"当——当——当——"上课铃声响了。

女同学们从校园的各个角落回来，鱼贯进入教室。这一节是俄国地理。老师上课前，习惯要请几位同学回答问题，这些问题都是前一节课学过的。

"世界上面积最大的是哪一个国家？"

"俄国。"玛妮雅举手回答。

"再问一个题目，俄国跨越哪两大洲？"

同学们你看看我，我看看你。玛妮雅想把这个机会让给其他人回答。

"谁？谁要回答这个问题？"老师提高了嗓门问。

"上个星期才学过的，怎么没有人回答？"

"好，玛妮雅，你来回答。"

"欧洲和亚洲。"答案正确，显得多么利落。

玛妮雅的记忆力超强，凡是从书本上阅读过的东西，她都可以牢牢记住。

上课时，玛妮雅很少分心。她因为课前有充裕的预习，上课专心听讲，回家后再复习，所以能够在课堂上每次都正确地回答问题。

玛妮雅对知识的渴求如同树木成长需要水分一样，她多么希望把老师身上的所有知识，都能转换到自己的脑袋里。因此，她总是阅读课外书籍，来补充老师在课堂上的说明。

这些，都是她成绩名列前茅的秘密武器。不论哪一门功课，她都比其他同学学得快，也学得好。重要的是，她经常亲切地帮助那些学习有困难的同学。

在快乐的生活中，她担心的事情不是她自己，而是姐姐布罗妮雅。自从母亲过世以后，布罗妮雅只好留在家里，她要担负起照顾全家人的起居生活。

玛妮雅知道布罗妮雅不但聪明，而且好学，打从心里就希望能够帮助她进入大学读书。为了这个心愿，玛妮雅不断提醒自己：一定要以最优秀的成绩毕业不可。

另外，她也非常关心祖国波兰的未来前途。她经常在一个人静下心来的时候，对自己说：无论如何，一定要尽一份心力，想办法协助祖国脱离俄国的统治，早日独立才可以。

时间飞逝，玛妮雅十五岁的时候，毕业的日子终于来临。

1883 年 6 月 12 日，这一天，玛妮雅以优异的成绩赢得毕业班的第一名，为家人又增添了一座金牌奖章；当年布罗妮雅得到第一座奖章的时候，好强的玛妮雅已经暗下决心，绝对不可以输给姐姐。

毕业典礼的日子，玛妮雅胸前别了一朵属于毕业生标志的红花，她显得特别有精神，特别有朝气。在校园中，她双手捧着金奖牌、奖品和奖金等，身边围绕着一群好朋友。

“玛妮雅，恭喜你！我们就要离别了，我很舍不得呢！”

“我也很舍不得，卡佳。非常谢谢你，我们一直都是好朋友。哦！毕业后，你对未来有什么打算吗？”

“我想，先在家里待一段时间，说不定就学习怎么当个新娘子。”两个人都忍不住呵呵呵地笑了出来。卡佳又继续说：

“别笑，我可是说真的。爸妈都希望我以后能当个贤妻良母，我自己也要努力学习，不是吗？”卡佳说话的样子，可是一脸正经。

“很羡慕你，这么明白自己要走的路。”

“聪明的玛妮雅，如果你不继续升学，如果你就这样中断了学习，那是多么可惜呀！而且，对波兰来说也是一种莫大的损失呢！”

玛妮雅觉得很有道理，一边点头，一边说：

“事实上，我很想说‘的确是这样’。但是，将来的事情很难预料。在我们波兰，并没有让女孩子升学的学校；而如果我想去法国留学，我家里的经济情形恐怕没有办法支持我。”

“哦，法国吗？那个国家是很先进的，只要你有能力升学，不论男女，学校都可以接受，在那里读书实在太棒了。”卡佳愈说愈激动。

“要是我的成绩有你这么好，我也渴望到法国去。不过玛妮雅，千万不要灰心，不要放弃。愿上帝保佑你，他会赐给你机会的。”

玛妮雅和好朋友卡佳，不断谈论着未来的事情。

“嗨！恭喜你，玛妮雅！”

“谢谢！要常常保持联络哦！”玛妮雅笑着挥手。

同学们就要离开学校，大家道贺声不断，言语中流露出浓厚的友谊。

爸爸微笑着和亲朋好友点头招呼，他为玛妮雅的优异表现感到非常骄傲。他轻轻拍了一下玛妮雅的肩膀，玛妮雅大吃一惊，回头一看，欣喜若狂叫了起来：

“爸爸，真的是您？您这么忙碌，我以为赶不过来了呢！”

“我特地请了假，我想看看你获得金牌奖章的模样，我真是为你感到高兴啊！”爸爸看了看卡佳，说：

“嗨，你应该就是卡佳小姐吧！我在家里常常听到玛妮雅提到你，玛妮雅常常受你的照顾，实在很感激你。希望你以后还能和玛妮雅联络，继续做好朋友。”

“当然，当然。我们永远都是好朋友。玛妮雅，不论你以后在哪里，可别忘了写信给我。”

两位女校毕业生，紧紧地握住双手，互祝道别。

玛妮雅向亲切的校园看了最后一眼，显得有些不舍，有些离情依依。毕竟，这是她日夜生活、努力学习的地方啊！

“再见了，我的母校！”

玛妮雅的女校生涯，在这个时候，画下圆满的句号。

玛妮雅和爸爸开心地回家。家人已经摆好一桌美味可口的菜肴，赫拉、布罗妮雅和约瑟夫都很高兴地在家里等着，准备为她好好庆贺一番。

“现在，我们家有了三面金牌；如果妈妈还在世上，不知道会有多么高兴呢！”玛妮雅刚刚抱回来的金牌还热乎乎的；爸爸把它放在妈妈的遗像前。

这时，赫拉黯然神伤地说：“如果我也得到的话，我们家就有四面金牌了。”

布罗妮雅现在已经取代妈妈和苏菲亚的地位，负责家务事并照顾失去母爱的弟弟和妹妹。她试着安慰赫拉：

“赫拉，别这么说。你的音乐才能比我们的金牌更有价值；这是我们三个人都没有的特殊才艺呢！”

爸爸注视着每一张孩子的脸，手轻轻地敲着餐桌，很慎重地说：“趁着全家人都在这里，我想我们现在就要考虑玛妮雅未来的前途了。我们来商量商量吧！”

布罗妮雅毫不犹豫地脱口而出：“玛妮雅的成绩这么杰出，应该是要升学的……”

玛妮雅打断了布罗妮雅的话，她说：“我能到哪里？去巴黎吗？那可是需要一大笔钱的。何况，现在约瑟夫还在医学院念书，赫拉也要找一位老师来指导她，所以，我的想法是……”

不等玛妮雅说完，爸爸就摇了摇头，叹口气，无奈地说：“唉，千错万错，都是我的错。你们还记得被骗的那3万卢布吗？那原本是用来让你们读书的教育费用。如果钱还在，你们就不会这么辛苦了。唉，我真是对不起你们！”说完话，不禁又深深叹了口气。

玛妮雅不忍心爸爸这么自责，她说：“爸爸，过去的就别再提了。您含辛茹苦把我们拉扯大,我们都很感恩呢!现在,这三面金牌都应该献给您。

“而且,我想应该让布罗妮雅去法国留学,她一直都在准备。”

布罗妮雅一听,觉得怪怪的,她说:

“你才刚毕业,成绩又这么好,现在去,应该是没有问题的。”

“你在家里,已经为我们付出这么多了,当然是你先去。”

“不,还是你先去。”两人相争不下。

爸爸说:“我也有一些想法。是这样的,你们叔叔曾经跟我说过,等玛妮雅毕业以后,可以到他那里玩一玩,顺便帮忙看看堂弟堂妹的功课。”

玛妮雅一听到可以到叔叔家去,马上点头,兴奋得不得了。爸爸又接着说:“我看,玛妮雅的书,也念得够多了。不如到乡下透透气,呼吸新鲜空气,把身体锻炼得好一点。有健康的身体,以后要做什么事情都很方便。我们家已经失去两个人了,大家都要好好珍惜健康。

“这段期间,约瑟夫差不多也快毕业了,赫拉的前途,或许也该做个决定了。”

爸爸一口气说了这么多话,大家都赞成他的意见。玛妮雅显得有些迫不及待,很快就动手整理衣物,她带着简单的行李及对未来的期盼,离开了华沙。

热闹祭典

叔叔经营的牧场,有一望无际的田地,有一大片的草原,以及广大的森林。

玛妮雅每天例行的工作就是教一个小男孩一个小时的法语,其余时间,她可以随意做自己的事情。

她每天早睡早起,和小孩子到森林散步、聊天,偶尔打打羽毛球,或是玩玩猫捉老鼠的游戏。玩累了,牧场里到处都有果树,随手摘个草莓来吃。

他们也到小河里玩水、捉鱼,日子过得非常愉快。

有时候,她会向堂弟借骑马装来穿,练习骑马。叔叔的牧场养了几十匹好马,任凭她挑选。很快地,她的骑术已经进步神速,令人刮目相看了。

冬天来临的时候,玛妮雅到另外一位叔叔家,这里有三位堂姐妹和她作伴。她们一起做家事,一起聊天,一起参加户外活动。

她们去参加一个农村的冬季祭典,这让玛妮雅尝到了好像嘉年华会般的欢乐滋味,是她感到最快乐的时光,很热闹,又有一种无法想象的自由、平等和独立。

玛妮雅和堂姐妹戴上奇形怪状的面具,身体裹着厚厚的毛毯,搭乘两部雪车出发了。马路一片漆黑,不断向前延伸着。年轻的马车夫利落地点燃火把,"哗——"的声音划破漆黑,一瞬间,马路四周大放光明。

马蹄声"踢——踏——、踢——踏——"响彻原野,雪车往前奔驰,勇猛地穿越黑森林。等到冲出森林,黑夜不再那么黑暗,雪地辉映着火光,星星点点的火光呈现在眼前。紧接着,美妙的乐音响彻着,如梦幻般地回荡在寒冷的空气中。

"美啊,真是美!"女孩子们在雪车中待不住了,雀跃地站了起来。很快,手持各种乐器的乐师们陆陆续续地如雨后春笋般,从各个方向的黑森林里冒了出来。闪闪烁烁的火把,在他们身边一闪一闪地跃动着。

跳舞,从黑夜跳到早晨,从早上跳到黄昏;祭典仪式,一个村庄接着一个村庄,狂野的音乐,热劲的舞动,玛妮雅从来不曾这么疯狂过。多彩多姿的盛会，就这样持续了两天两夜，等到跳完最后一支舞曲，已经是第三天的清晨。回到家，玛妮雅脚上那双古铜色的舞鞋，也差不多跳破了。

优闲自在的乡下生活使玛妮雅的身体锻炼得很健美。以前苍白的脸色，现在焕发出健康的粉红色；以前瘦弱的身子，现在变得丰腴了。

教女工识字

很久很久以来，玛妮雅一直怀着一个梦想。

这个梦想，并不是一般少女的那种甜美的梦想。她常常告诉自己：我要尽我的所有能力，帮助祖国波兰早日脱离俄国的统治，并且祝福我的祖国早日独立。她也常常对自己说：只要找到机会，我一定会利用我的知识，尽力来帮助这个国家。

十六岁的玛妮雅，能做些什么呢？她唯一能做的，就是教导不认识字的穷苦人家读书、写字。做这种事，如果被警察发现了，是会被逮捕，会被关到监牢里的。但是，基于她强烈的爱国心，玛妮雅并不害怕，她马上着手进行教书的工作。

首先，她到处搜集波兰文的书本，以及外国文字的书籍，建立小小的图书馆。她的目标是：要让这些不识字的人读这些书。

要读这些书，当然要先学波兰文。就先从工厂的女工们着手吧！

一个波兰人的工厂老板，被玛妮雅的热忱和决心感动，决定在工厂里让出一个房间，成为阅读的教室。这样，玛妮雅可以在这里免费教导女工们识字。

这些女工们非常珍惜这个来之不易的识字机会，她们感谢玛妮雅的教导，特别热心学习。每天工作完毕就是学习阅读的时间，她们一点儿也

不觉得累。

“老师，这个字怎么读？”

“这个地方是什么意思？”

“老师，我已经学会了这本书。”

“老师，我也已经学会了这本书。”

女孩们渴切的求知声音和面孔，让玛妮雅深受感动。

“好吧！我们来试一试，看看大家是不是都已经十分熟悉波兰文字了。”

“老师，是不是又要发挥您的创意了？”玛妮雅会心地点点头，微笑着。

“你们，有人来提问题，有人来回答，还有人当主持人，看谁最精彩。”

学习是一件愉快的事情，这群认真学习的女孩子们，有如一块干燥的海绵，极力渴望吸收知识的水分。就在玛妮雅的创意引导下，波兰文字的书本读完了，她们开始进行阅读外国的书籍。

这些女工学生的年纪，都要比玛妮雅来得大些，但是，玛妮雅一点儿也不会摆出高人一等的架子。

“你们看，我的鬈发，会不会太惹人注目呢？”

为了和学生打成一片，玛妮雅狠下心来，把自己一头美丽的鬈发给剪短了。

工厂就像学校，里面洋溢着追求知识的芬芳气息。当初扮演协助者角色的工厂老板，不但成为读书的受益者，也是完成美事一桩的好心者。

玛妮雅不害怕被警察发现，也不畏惧被警察抓走的可怕后果。她在渴望识字的女工围绕中，仿佛看见一把知识的希望之火，她深信这把火在未来，一定可以逐渐烧出国家独立的希望。

家庭教师

对于姐姐布罗妮雅的事,玛妮雅一直念念不忘。

布罗妮雅每天在家里忙着家务事,她的内心深处却是十二万分地渴望去学医。

玛妮雅跟爸爸说:“布罗妮雅的年纪渐渐大了,不能老是窝在家里做家事啊!我们应该想办法送她去巴黎上大学。”

爸爸同意玛妮雅的想法,他说:“你呢?玛妮雅,你是不是也很想去巴黎?”

“是的,爸爸,我是很想去巴黎。但是,两个人同时去是有问题的。就让我来想办法,帮忙解决问题吧!”

“你是说你先去工作,存钱给布罗妮雅读书吗?”

“爸爸,您的年纪也大了,就放手让我们来处理吧!”

“玛妮雅,我虽然年纪大了,但是我也不会放弃再去找一个工作。家人要一起努力才行。”

“感谢爸爸,那就让我来说服布罗妮雅吧!”

在爸爸的默许下,玛妮雅跟布罗妮雅说:“姐姐,你为家里的奉献可以告一个段落了。赶紧去实现理想吧!”

“可是……”

“别再可是了。我的想法是这样的……”

“还是你去好了,我还舍不得离开爸爸,他需要有人来照顾。”

“爸爸的事你可以放心,爸爸觉得他还没有老到……哈……”

姐妹两人忍不住同时笑了出来。

“爸爸会再去找工作,他可以照顾自己。就让我先帮助你吧!”

玛妮雅眼看布罗妮雅还要说些什么，突然问她：

“姐姐，亲爱的，请问你现在几岁了？”

这么一问，布罗妮雅愣住了。

“上次我们谈这件事，你是二十岁。你今年二十二岁了，还要等多少年？”

“那你呢？”

“我至少比你小四岁啊！”

“可是，我现在也没有那么多的学费，怎么办？”

“我想到了一个好方法，可以帮助你先去巴黎。”

“什么好方法？”

“我去工作，把钱一点一点地寄给你。”

“傻孩子，你知道你在说什么话吗？”

“你别急，听我说完嘛！”

“好好好，你说。”

“我先帮姐姐把书读完，等你当上了医生，就轮到你帮我了。我们可以互相帮忙。”

“谢谢你，玛妮雅。不过，你要供应自己的生活，又要寄钱给我，是不可能的。你有什么法子吗？”

“我想去找一个提供膳宿的家庭教师工作。这么一来，我既不愁吃、不愁穿，还有钱可以存呢！”

布罗妮雅十分感动，看到玛妮雅这么贴心，这么为她着想，忍不住掉下了眼泪：“哦，玛妮雅，我该怎么说才好呢？”

姐妹两人相拥而泣，爸爸也支持这样的做法。

玛妮雅如愿找到一份家庭教师的工作，是职业介绍所为她安排的，主人在华沙担任律师。

这个律师家庭虽然很有钱，对待别人却非常吝啬和苛刻。

玛妮雅写信向表姐韩莉诉苦："他们家说的是法语，而且是低俗的法语。"对于法语，玛妮雅是不陌生的：在她小的时候，爸爸为她们说法文图画书；她在女子学校修的法文课，成绩十分优秀。

在这些高尚的法国文字陶冶下，让玛妮雅实在无法接受这个家庭的法国语言。

玛妮雅和这个律师家庭，还因为付款的方式，使他们的关系更为雪上加霜。

"他们非常吝啬，账单可以积压六个月不付，点用煤气也很苛刻，其他方面的消费却毫无节制。"玛妮雅在信上还这么写着："家里请了五个仆人，假装思想很开明，态度很开放，其实这是很愚蠢的行为。"

很显然，五个仆人加上玛妮雅的薪水，主人都是在半年以后才支付的。而且，"他们还用甜如蜜的声音诋毁别人……"

这种环境，玛妮雅认为是人间地狱。她想："这地方已经不能再待下去了。但是，如果仍然在城市里找工作，各种花费也挺吓人的。"

真的是这样。玛妮雅和爸爸住在同一个城镇，就会忍不住想去探访他；在熟悉的城镇，还有她认识的好友，她也想去找她们聊天。这么一来，花费就增加了，更何况布罗妮雅现在已经在巴黎了，再怎么困难，也一定要寄些钱给她。

不久，她终于在偏僻的乡间找到了新的家教工作，待遇比起以前那家是优渥多了。但是，玛妮雅并没有因为获得工作而高兴，反而显得有些犹豫。

"爸爸的年纪越来越大了，实在不应该离开他太远，应该留在他身边，伺候他……"

她想到要远离家乡，将有一段时间不能见到爸爸，内心有说不出的寂寞。

但是,无可奈何,该做的事还是要做。

1月,一个细雨濛濛、寒气逼人的清晨,玛妮雅在爸爸的送行下,踏上了往乡下的旅程。

玛妮雅坐在车厢里,呵了口气,把凝雪的窗户擦出一角干净的地方,透过它,她看到年老的爸爸,仍然不停地挥着手。玛妮雅的胸中一阵绞痛,再度涌起恐慌和不安。

她想:“啊!我这一去,会变得怎样呢?爸爸如果在这段期间生病了,谁来照顾他?我这样走了,到底对不对?”

四周渐渐变得昏暗。白雪皑皑的原野,一望无际地绵延下去。不知何时,玛妮雅的眼眶已噙满泪水,眼前变得一片模糊了。

这个新的家庭,有佐洛斯基夫妇;两个女儿:一位十岁,一位十八岁;三个儿子:在华沙念书;还有几位仆人,养了四十几匹马和六十几头牛。

可以想象得到,这是一间乡村大屋,或许还算得上是不错的庄园呢!

这里有游廊,摆放了游戏器材、摇椅,成为第二个授课教室。除了在书房教授课业,这里也可以边玩边讨论功课,也是不错的另类学习场合。

这里有菜园。从玛妮雅房间的窗口望出去,外面是200多坪的甜菜园;还有一座甜菜糖厂,上面的烟囱经常冒着烟。佐洛斯基先生是杰出的农艺家,他掌管这一大片农地,也是糖厂的大股东。

这里还有庭院草坪,很宽大,大到可以挥棒打槌球;有红色屋顶的谷仓、马厩和牛舍;以及宽敞的厨房,里面是陶制的大灶,感觉很舒适呢!

整体来说,这里的田园环境,让玛妮雅感到可以适应。而从另外一个角度来看,佐洛斯基家庭的往来宾客,或是与人相处的方式,也都和第一个家教的模式不同,让她有迥异的感受。

这个家园的男主人佐洛斯基先生,开朗又能干,玛妮雅这样形容他:

虽然是个老派的人，可是常识倒满丰富的，为人也很明理，挺可爱的。

女主人原来是位教师，成为佐洛斯基夫人以后，拥有庄园，不用再抛头露面去工作，在家里当好家庭主妇就可以了。玛妮雅和她相处得很不错。

玛妮雅说，这里经常有许多人来喝茶聊天，这些人举止文雅，在高谈阔论中并不会目中无人，或喜欢谈论别人的是非。

玛妮雅很喜欢她的两位女学生，尤其是名叫布朗嘉的，她是姐姐，和玛妮雅相处得十分融洽。

玛妮雅观察居住在这里的年轻人，她形容女孩子们不轻易开金口，虽然她们很会跳舞，人也不坏，有些还很聪明。只是她们所受的教育并没有开启她们的心灵，显得十分闭塞。这里的节庆活动很频繁，结果只让她们的头脑更散漫。至于男孩子，几乎没有一个好的，连一个聪明的也没有。

在这样的情况之下，玛妮雅认为佐洛斯基一家人是优秀的；佐洛斯基家人也认为玛妮雅是优秀的，甚至还算是个女学者。因此，玛妮雅没有计较这里离家很遥远，也就安心地在这里认真地教学；同时，她如愿把薪水储存起来，寄给在巴黎读医学院的布罗妮雅，让她安心读书。

生活在这里，人们喜爱她、尊重她，称她为“玛妮雅小姐”。

玛妮雅除了把佐洛斯基先生的两位女儿教好以外，她还认为，可以为乡间的农民做一点事情，因为有许多贫穷的年轻人，由于没有受教育而缺乏知识。她的想法，得到她的女学生布朗嘉的赞同，所以积极协助她：帮忙找了十多位孩子，说服家人让孩子可以在玛妮雅的房间学习。玛妮雅如鱼得水，发挥她助人求知的使命感，每天教他们读书、写字，还背诵本国历史。

孩子们来这里学习，是不被当局允许的。不过，可能因为真的太偏远了，根本没有发生过危险；有时候，孩子们的家长还会挤进来，看着小儿女进入知识的殿堂,内心十分感激,也充满希望。

一段恋情

一年以后,佐洛斯基家的三个大男孩,从华沙回来过圣诞节。

他们从来没有见过像玛妮雅这样的女子。老大凯希米爱上了玛妮雅,不可避免的事情就这样发生了。这也是玛妮雅第一次谈恋爱。

暑假期间,凯希米和玛妮雅像情侣般,一起散步、聊天,一起跳舞,一起骑马。天真的玛妮雅,似乎准备要嫁给他,成为这家庭的一份子了。可是,事与愿违,佐洛斯基夫妇表示反对。

佐洛斯基太太说:“为什么要娶一个家庭教师呢?”

“这个村庄,还有五个嫁妆丰富的年轻女孩可以选择。”

凯希米没料到是这样的结果,只好心烦意乱地回华沙去,继续研读农艺。不过,他并没有放弃对玛妮雅的爱恋,他在等待机会,希望父母亲有一天能够回心转意。

凯希米回华沙以后,留下玛妮雅忍气吞声地待在佐洛斯基家。

这里的薪水待遇不错,她需要这笔钱,远在巴黎的布罗妮雅还在等待。玛妮雅表现得十分平静,佐洛斯基的家人一句话也不多说,就把这位优秀的女教师给留了下来。

仿佛什么事情也没有发生,时间一天一天地过去。玛妮雅的内心十分痛苦,她想起姐姐赫拉,赫拉原本准备要结婚,后来没有成功。她写信给在华沙就读医学院的哥哥,她写道:“我可以体会赫拉自尊心受到打击的感受。”这时的玛妮雅,什么事都不想,只想让自己很快忘记这件事情。“就让它随风逝去吧!感情这种事情,没什么大不了的。”

漫长的日子，玛妮雅显得很无奈，她好像是被埋在这个穷乡僻壤的乡间了。经过这件事情，佐洛斯基家不再把她当作知心的家庭教师了。但是，她极力忍耐，她一直想要完成布罗妮雅的医生美梦，接下来也是她前往巴黎留学的人生美梦。这一个个的美梦，支撑她在这里继续工作四年，等合约到期，孩子也都长大。玛妮雅回到华沙，再度成为另一个家庭的教师。

她挥手告别这个穷乡僻壤的田园之家，心情是轻松的、愉悦的。

玛妮雅回到华沙，重新投入家庭的怀抱，她一心只想和父亲住在一起。她的父亲果然找到了工作，是华沙附近一所监狱的典狱长。典狱长的工作待遇不错，却不太愉快，但为了生活，只好将就。

玛妮雅再度成为家庭教师，期限是一年，主人是一个年轻的阔太太，显得高雅且迷人。她的身边围绕着许多喜欢她的艺术家；她的服装，都来自巴黎的服装设计师；她和华沙社会的名流人士，往来不息。

这位美丽的妇人和玛妮雅很投缘，她认为玛妮雅的气质有些与众不同，所以把她介绍给各界的名流。生活一向俭朴的玛妮雅把这样的奢华生活看得很平淡，她认为自己的物质欲望不高，对那些名贵的东西也欠缺品位。所以，她只是感谢贵妇人的以礼相待。

其实，玛妮雅内心想到的是，不要和新知识脱节太久，她一心向往着巴黎。

但是，远在巴黎的布罗妮雅，认识了一位医生，并打算结婚。这么一来，照料爸爸起居生活的担子，就落到玛妮雅的肩上。

一方面想要好好照顾爸爸，一方面又想尽情地发挥自己的才能，玛妮雅觉得很为难，只好不断地写信给布罗妮雅，诉说自己的苦闷。

玛妮雅为了照顾爸爸，终于辞掉了工作，回到家里。日子过得充实而有意义，但是，玛妮雅渴望研究科学的兴趣和决心并没有减低，反而一天比一天浓厚。

就在这个时候，布罗妮雅写信来，宣布她和一个也叫做凯希米的同学订了婚。她告诉玛妮雅，“明年你就可以来巴黎，和我们住在一起，食宿不用愁。所以，现在开始，你可以开始为自己存学费了。”布罗妮雅还说：“保证你可以在两年内获得学位。”

玛妮雅读着信，心中并没有那份喜悦，也少了以前的美梦。不知道为什么，她显得有些沮丧，对未来感到彷徨又绝望。

她回信给布罗妮雅：“我想我是个愚昧的人，或许这一生都会是愚昧的人。或许可以这么说，我一向运气不佳，以后也一样。巴黎曾经是我梦寐以求的地方，那里有我的理想，通往我追求知识的殿堂。可是，这些年来，我已经断了这个念头。现在突然出现这个机会，我有些不知所措。”

布罗妮雅看了信，大吃一惊。她不明白发生了什么事情，到底有什么事情伤了她的心？

玛妮雅的父亲跟布罗妮雅说：“若是你们姐妹俩，都嫁给名叫凯希米的男子，那倒是挺有趣的。”布罗妮雅才恍然大悟，原来是玛妮雅的感情世界有了挫折。玛妮雅的父亲也很担心玛妮雅，害怕她的精神跌到谷底。

这段期间，因为凯希米·佐洛斯基就在华沙求学，他们曾经联系过、约会过。

尽管经过了四年的时间，凯希米对玛妮雅依旧一往情深，感情没有改变，而且看起来好像愈挫愈勇；在玛妮雅的眼里，他仍然很有魅力。

1891 年的夏天，玛妮雅和凯希米一起到山中农舍，度了两天假。

玛妮雅仍然没有放弃希望，她请凯希米再回去恳求他的父母，请求同意他们的婚事。可是，凯希米的父母并没有同意。

两人决定分手，玛妮雅黯然地结束这段感情。

后来，玛妮雅对“化学”又燃起了希望。她找到了治疗伤心的新药方，全身心投入科学，十分热衷，也到了不可自拔的地步。

美丽的花都巴黎

去巴黎以前

玛妮雅有一个叫做约瑟夫·波古斯基的表兄，成立了一间“工业农业博物馆”。它表面上是博物馆，实际上是一所秘密的教学中心，称为“地下大学”。

教师们在这里向波兰的年轻人讲授科学，就像是玛妮雅在偏远地区，为孩子们讲授基本的知识一样。

来这里讲学的都是在华沙很有名气的教师，在波兰的年轻人心中，他们如雷贯耳的大名，是掀起一股追求科学知识的主要原因。更让他们兴奋的是，博物馆里有一间小小的实验室，老师和学生就在这里学习初级的实验。

玛妮雅离开女子学校已经有好长一段时间了，这样的实验操作，燃起她热切学习的希望。在实验室里，玛妮雅尝试了各种可能的实验研究滋味，但她并不在意。

玛妮雅想:“做实验最吸引人的,就是不论成功或失败,都可以重新再来。”

“以前在偏远乡间,是从课本上学化学;现在,在实验室里学化学。两种比较起来,真有天壤之别。”

这时,玛妮雅下定决心,该是离开华沙,勇敢去追求科学之梦的时候了。

她立即写信给布罗妮雅:“请你现在就给我答复:你的家,真的可以容纳我吗?因为我现在就可以过去了。”玛妮雅想起当初和姐姐彼此的承诺,觉得现在就是前往巴黎的最佳时机。

凯希米的软弱个性,激起了玛妮雅的奋斗意志,她要在精神上独立自主,抛开情感的束缚。

玛妮雅开始整理东西,到了巴黎以后,可以不用再花钱购买的,她都能省就省。她把床铺、床单、毛巾、茶叶等物品,都收拾妥当,装在一只大木箱里。她预估,大约可以用得上三年。这样,生活费就可以节省下来。

前往巴黎

1891 年的秋天,玛妮雅搭乘蒸汽火车,准备前往巴黎。

“爸爸,您不用太操心,两三年内,我一定会回来。我会努力读书,早日取得教师的资格,回到您身边,好好孝敬您。您要保重啊!”

“玛妮雅,这是你开创前途的大好机会,你千万要好好把握,不要担心我,我会等你回来。你就放心去巴黎,去研究你所喜欢的科学吧!”

这个时候的玛妮雅,一心想要追求学问,只是为了满足求知欲;她也答应爸爸,只要拿到学位,有了教师资格,就回到华沙,可以孝顺爸爸,可

以当个好老师，还可以顺理成章地为祖国波兰贡献心力。这样，她就心满意足了。

因此，她没有想到，有一天她会成为世界著名的大科学家。

现在，她独自坐在火车车厢里，想起了爸爸不断挥手的背影，觉得离开他越来越遥远了。何况，这一趟路程，可不只是去乡下当家庭教师。她担心到了巴黎以后，到底能不能实现梦想。

漫长的旅途终于结束。当火车驶近巴黎北站的那一刻，玛妮雅情不自禁地挺起胸膛，深深地吸了一口气。火车站附近的空气，因为煤烟味道太浓，并不太新鲜。但是，玛妮雅第一次呼吸到自由国家的空气，觉得很不一样。

布罗妮雅这时不在巴黎，姐夫凯希米到车站来迎接玛妮雅。

一走出车站，玛妮雅首先发现，这个国家的人民，看起来都很快乐、都很开朗。和华沙比起来，真的有天壤之别啊！

今天虽然不是什么庆典的日子，街道上仍然人潮汹涌。

和她擦身而过的人群中，有红头发的德国人，有黑眼睛的西班牙人，还有个子比较矮小的东方人……形形色色。每个人都使用自己国家的语言，不会去顾虑旁边的人在说什么话；有人在街上大声叫着另一个人的名字，然后去和他拥抱在一起，也没有什么好大惊小怪的。

在月台上忙着搬运行李的工人，也没有因为客人的身份地位，而有不同的差别待遇。

巴黎是多么年轻、多么有活力的城市啊！处处充满了自由，和被俄国统治的华沙比较起来，真是大异其趣。

玛妮雅跟着姐夫回到位于巴黎德意志路上的家，经过一个晚上的充分休息以后，第二天一早，玛妮雅就迫不及待地到巴黎逛逛。

索邦大学位于塞纳—马恩省河的对岸。

玛妮雅乘坐着马车，走出德意志街，在塞纳—马恩省河附近下车，然后沿着河岸走过去。

塞纳—马恩省河的沿岸，有一大排规模不大的旧书店；在那里，但凡医学、历史、文学、美术、科学、社会学，等等，几乎都可以买得到，可以说是应有尽有；而且，每一种书都堆得高高的。

在这个地方，不管是中国书、德国书，或者其他国家文字的书，只要你能想得到的，几乎都可以找得到；甚至，连在波兰都无法买到的波兰文书刊，在这里也是到处可见。

“啊！在华沙，要是能有这种旧书摊，该有多好！”玛妮雅想着，忍不住叹了口气。

她就这样慢慢逛着，手上拿着姐夫凯希米画的街道图，走到索邦大学的附近。可是，玛妮雅环顾四周，并没有看到大学形式的建筑物。她正怀疑自己是不是走错了地方，忽然前面来了一位老妇人，她快步走向前去。

“请问——”玛妮雅只说了这么两个字，就开始紧张起来了。这是她来到巴黎第一次跟法国人交谈，一紧张，舌头好像打了结，把法国话忘得一干二净。她又挤出了“索邦——”，就什么都说不出来了。

老妇人看着这位陌生女孩，默默地，用手指向一条宽大的斜坡道路，便快步走开了。

玛妮雅循着斜坡道路往前走，不久，在左手边看到一幢灰黑色的建筑物，那就是巴黎著名的索邦大学，也是她梦寐以求的知识殿堂。玛妮雅好像搭乘由南瓜变成马车的灰姑娘，她几乎不敢相信自己的好运，真的来到了知识殿堂的前面。

大学墙壁的布告栏上，写着：

法兰西共和国

理科大学/第一学期的课程,从1891年11月3日起,在索邦开课。

这些字眼充满魔力,在阳光下闪烁着灿烂夺目的光芒,吸引着许许多多前来追求梦想的青年学生,更直接射进玛妮雅的内心深处。

在波兰,女孩子是不允许上大学的;在这里就不一样了,男男女女,穿梭在大学的校园里。

从今以后,在这里,自己想上什么课,就可以选什么课;想做什么实验,就可以利用各种仪器、各种设备来完成。玛妮雅按捺不住心中的兴奋,在大学门口走来走去,还不时地向里面窥望。

"好不容易,我的梦想终于要实现了。加油啊!一定要努力读书才行!"

她在内心暗暗地发了誓。

而这时,著名的埃菲尔铁塔,已经在巴黎的天空,展露了两年。

巴黎经过重新设计,面貌已经焕然一新;许多造价昂贵的大楼,纷纷在新铺的大道上耸立着;许多有创意的艺术家,都还是集中在巴黎。

巴黎是一个时尚的地方,追求时髦,追求艺术和创意,而在科学方面呢?巴黎的实验设备并不充裕,不如英国,也不如德国。只有法国数理学院,在数学物理方面不落人后。对于这些,玛妮雅并不在意,因为她认为法国的科学还是有点水平的。

那时,法国有一位大科学家,名叫巴斯特。他的研究成果很受国际重视,又能赚钱:譬如知名的狂犬病疫苗,就奠定了他的名望。还有好几种发明,也都能应用在工业上:例如法国啤酒业,也是拜他所赐,才能和德国的啤酒业互相竞争,这法国全国受惠良多。

巴斯特带动医药、化学和研究方法等各方面,都有大幅度的进步。但是在其他的科学方面,在19世纪初期,原本光芒四射的法国学界,却已经减缓了脚步,科学教育也是很弱的部分,没有受到应有的重视。这些,

都无妨。

玛妮雅的心中,只是洋溢着光明的希望,洋溢着无穷的希望。

“我,终于来到了巴黎!”

大学生活

1891年的11月3日,玛妮雅穿越索邦大学的校园,到办公室去办理注册手续。她即将攻读科学学士学位。

玛妮雅到大学读书以后,依照法国人的习惯,把名字改为玛丽。

每当玛丽经过大学的长廊,大学里的同学大都会多看她一眼,并在背后悄悄地议论她。

“这个女孩是谁啊?她有一头柔软的秀发,看起来却很严肃呢!”

“斯卡洛多斯卡?是个外国人吧!”

“每次上物理课时,她都坐在第一排哩!”

“是啊!很少听到她说话,只是埋头苦读。”

的确是这样。玛丽上课时全神贯注,她在波兰的女校读书时也是如此。当她全身心投入,就完全忘了周遭的世界。

不过,玛丽根本不在乎同学的议论,她所关心的是教授的讲课内容。索邦大学里,汇集了世界著名的一流教授,他们大部分都是经验丰富的学者,教起课来态度从容;更重要的是,他们总是毫不吝啬地将满腹学问传授给学生。

玛丽认真地听课,勤快地做笔记。

随着课业的增加,玛丽发现自己在数学、物理方面的程度,竟然比班上的同学落后很多;还有,她一向有自信的法语,也因为教授讲得太快,或是带着不同的腔调，使她无法充分地理解。为了迎头赶上，她只好咬紧牙关，拼命地用功。

刚刚来到巴黎，为了减少支出，玛丽住在姐姐布罗妮雅的家里。

布罗妮雅的先生凯希米是医学院毕业的博士，他个性开朗，喜欢热闹。他们居住的德意志街，可说是穷困的劳动阶级所聚居的地方，所以，凯希米博士的病患也以穷人居多。

布罗妮雅夫妻两人以公寓里的一个房间作为诊疗室。他们轮流为病患看诊，偶尔也提着黑色的医疗箱，外出到其他地方看诊。他们在忙碌了一整天以后，经常会尽情地去玩乐，完全忘记了工作的沉重。

住在巴黎的波兰人，往往将他们的家当作集会场所。这些波兰人，有的和玛丽一样，是来读书的留学生；有些却是因为被政府通缉，而逃到这里来的。

他们并不富有，却很好客，家里经常是热热闹闹的，他们都是在巴黎读书的波兰留学生。

玛丽的个性比较沉默，加上她和法国人在一起时，经常观念无法沟通，所以在学校里的朋友很少。

“玛丽·斯卡洛多斯卡，你的名字真难发音。”她的同学经常这么说。

玛丽心想，说不定这也是自己不喜欢和同学交往的原因之一。

但是，当她和来家里的这些波兰人在一起时，就显得活泼开朗多了。她总是和大家一起玩乐，一起跳舞。

这些波兰人，不论是学生、艺术家，或是想当政治家的青年等等，虽然身份和职业不一样，但是他们都有一个相同的特点，就是大家都很穷。

他们来到这里，喜欢围在茶炉和钢琴旁边，一边吃着布罗妮雅亲手烤制的甜点蛋糕，一边滔滔不绝地谈东话西。

有时，他们一起前往歌剧院或音乐厅，去看表演或是听音乐会。有时，

他们去为一个弹钢琴的朋友捧场，或是参加午夜举行的盛会。

而每年的圣诞节一到，总是掀起另一波高潮。

当天早上，狭窄的公寓里，早就挤满了客人。

有志于当小说家的青年，把拟好的剧本拿出来，开始排戏；喜欢画画的少女，则着手搭布景，不一会儿的工夫，客厅变成了舞台。一场业余的戏剧表演，就这样热热闹闹地展开了。玛丽也加入这个行列，和大家同乐。

戏正式开演了，有的人因为没有经验而忘记台词，有的人因为穿着用床单临时制作的戏服而被绊倒。所以，舞台上的歌声和笑声，整个晚上没有停歇过。

玛丽住在这么好客的姐姐家里，虽然不会感觉到身在异国的孤单、寂寞，不过，几乎每天晚上都要等到很晚才能开始做功课；有的时候，正当数学做得兴趣正浓，又会有人来叫门。

"大夫，病人的情况恶化了，请您马上过去看看吧！"

像这样的情形，有时一个晚上，就有两三次，玛丽用功的心思十分容易受到打扰。

自从来到巴黎后，玛丽深深地感觉到，要和二十岁左右、精力充沛的男同学一起用功读书，实在是一件非常吃力的事情。玛丽已经二十五岁了，体力上不如他们，而且，她在波兰只是华沙女子高级中学毕业，靠着自修才通过法国留学考试。在学历上，她比其他同学低了许多，加上语言上的落后，她都需要好好地想一想。

而在华沙的爸爸，一再写信给她，叮咛她：不要和无关紧要的人往来密切。提醒她：时间是不饶人的，只有把握时间，加紧脚步，才能跟上进度。否则，恐怕最后会一无所获。

玛丽短暂的、绚烂的大学生活，立刻在警觉中画下了句号。

她把想法跟姐姐、姐夫说明。一开始，布罗妮雅表示反对，后来，她站在玛丽的立场,替她想想,觉得很有道理。她说服凯希米:“再过一阵子,我就要生产了,如果她继续住下去,一定会帮我们照顾小孩、做家事,如此一来,玛丽就更没有时间看书了。”

布罗妮雅在巴黎居住的时间比较久,经验丰富,她立刻去为玛丽找寻新的住所。最后,选择在离索邦大学不远的地方,是一幢古老建筑的阁楼。

这个住所离大学很近,走路大约 20 分钟,她可以走路上学,节省时间,节省往返搭车上学的车钱。这间屋子的房租也比大学附近专门租给学生的房子便宜。玛丽一个月的生活费仅仅只有 50 法郎而已,除了付房租,还要吃饭以及支付各种开销,所以只好委屈一点,住在这种老旧的房子里。

阁楼的房间狭窄,天花板又低,只有一扇小小的天窗,让少量阳光照射进来。玛丽住进去以后,房里的家具也非常简单,甚至可以说是寒酸。如果有客人来访,她就从床底下拉出皮箱,当作椅子;皮箱里面装满了秋天和冬天的衣服。

玛丽在华沙的家里根本没有煮过饭菜,因为妈妈过世以后,家里都是布罗妮雅在照顾他们。她不知道如何生火,煮饭是用酒精煮的。所以,她很少邀请客人到宿舍来;只有布罗妮雅会像妈妈那样,过来看看她的日子过得好不好。

晚上,玛丽为了节省油灯的钱,她到附近的图书馆去看书。图书馆里有免费的瓦斯灯,也很明亮;还有暖炉的设备可以供给取暖。

玛丽在图书馆念书时,如果四周太过嘈杂,她会跟小时候一样,用两手捂住耳朵。到了十点钟,图书馆关门了,她才回到阁楼的小房间,点上油灯,继续苦读到凌晨两三点钟。

巴黎的冬天非常寒冷,玛丽出生的华沙更严寒,她就不断地安慰自己,即使不生火取暖,也照样可以读书。

玛丽过着独居的生活，也过着苦读的日子。

“玛丽，别忘了，我们等着你来吃晚餐哦！”姐夫凯希米的声音，经常回绕在她的耳边，她却十分坚持，跟自己说：“念书，念书，苦读，苦读，一切都会值得的。”

许多年以后，玛丽这个时候的苦读，竟然成为法国妇孺皆知的故事。

连小学生都知道居里夫人，都能叙述居里夫人的艰苦生活：她住在没有壁炉的小小房间里；她在严寒的冬天里，脸盆里的水都结成了冰；她把衣箱里所有的衣服都拿出来铺在床上，还在被子上加一张椅子。

“玛妮雅，读书虽然重要，也别苦了身体，吃饱、睡暖也很重要。”父亲信中也常常这样叮咛她。

可是，父亲金钱资助，是不够充裕的。

后来，玛丽吃的东西，就更简单了。有时连续好几个星期，只吃奶油面包，配着红茶，如此而已。但是，她一点也不在乎。偶尔，她和朋友到学生开的小餐馆去吃煎蛋，她就觉得非常丰盛了。

此外，玛丽有时嫌用酒精灯烧开水太麻烦，干脆只喝生水。这样的生活当然会损害健康，玛丽的脸颊，逐渐地消瘦下来。

有一天，玛丽的一个朋友到宿舍来找她，这个朋友是到巴黎来研究数学的。她们两个人很愉快地聊着，当玛丽要站起来拿点心时，突然觉得眼前一片漆黑，接着倒了下去。

“玛丽，你怎么啦？玛丽……”朋友赶紧将昏倒在皮箱旁的玛丽，扶到床上去。

过了好一会儿，玛丽才悠悠醒来，勉强挤出一丝笑容，她说：“谢谢你，很不好意思。我现在没事了，不过，经常这样，也就习惯了。”

“经常？”朋友惊讶得瞪大了眼睛。

“偶尔啦！应该没什么大问题。”玛丽坐在床沿，闭着眼睛回答。

“你可能太过用功了,吃得很不够营养,再这样下去,铁打的身子都会受不了的。你要多小心呀!”朋友提醒她。

过了几天,姐夫凯希米行色匆匆地来到玛丽的住处。他一言不发地走进房间,环顾一下四周,用医生看病人的严肃口吻问玛丽:“你放餐具的柜子呢?”

“我没有放餐具的柜子。”

“那你都吃些什么?”

“简单吃,随便吃,有的吃就好了。”

这位医生姐夫看着玛丽苍白的脸色,实在有些不忍心。他还是追问着:

“请你告诉我,你今天吃了什么东西?”

“今天嘛,让我想一想。好像中午吃了樱桃,嗯,应该是樱桃吧!”

“那么,昨天呢?”

“昨天,昨天好像也是吃了樱桃,好像也吃了……”

“好,那么,你昨天晚上是几点钟上床睡觉的?”

“应该是凌晨三点多钟吧!”

“今天早上几点起床?”

“七点多钟,因为我八点要上课。”

医生姐夫,一边和玛丽谈着,一边在房间里踱步。

他接着又问:“这里没有其他的东西可以吃吗?”

“嗯,面包和奶油在前天就吃光了。”

“为什么不去买呢?”

“没有时间嘛,再说……我也没有钱了。”

姐夫心疼玛丽的受苦,还是忍不住责备了几句:“这样是不行的,没有健康的身体,怎么读书呢?没有钱了,怎么不跟我们说呢?好好好,这也是我们的错，我们不该让你搬出来住，让你这么受苦，苦到身体都弄坏了。不能再这样下去，跟着我回去吧！”

玛丽在姐夫的强迫下，只好暂时到姐姐家里住。

他们一回到家，凯希米就大声地对布罗妮雅说：“我们住院的病患来了，你赶快去配药吧！药方是一块厚厚的牛排，一碗香喷喷的马铃薯。快，动作要快！”

布罗妮雅等在家里，这时，立刻到市场去买了许多菜回来。原本对厨艺就十分熟练的她，很迅速地做了一桌丰盛的菜。玛丽一闻到厨房飘来的香味，不禁怀念起在华沙的日子，布罗妮雅姐代母职的生活；她也想起曾经和姐姐约好要互相帮助的誓言。

玛丽喜欢吃布罗妮雅烧的饭菜，现在，她却假装不饿，好像被强迫的样子，很无奈地吃着。

布罗妮雅看玛丽这么固执，心疼地对她说：“如果你不肯好好吃些有营养的食物，我就把你送回华沙。还不多吃点！”

“好啦，我知道啦！其实，我并没有你们想象的那么饿，你们想太多，也太担心了。”

当天晚上，才十一点多，布罗妮雅就叫玛丽把灯关掉，到温暖的床上去睡觉。

这样规律的生活，只维持了三天。玛丽觉得自己已经康复了，她不愿意再继续待下去，赶忙回到原来的小阁楼里。

第一名

学年结束了，玛丽觉得各种学科的基础都还需要加强。因此，她决

定暑假不回华沙，而是留下来，一方面补习、加强数学，一方面也要勤练法文。

暑假结束，学校又开学了。玛丽说法文的波兰口音，已经完全消除；她现在能说出一口清晰又好听的法文。要加强的数学，进度也跟上了。

在学校的功课，玛丽都在进步当中；她还保留了计算数目时，使用母语的习惯。

在所有的学科当中，化学实验的课程，是玛丽最热衷的。她的学习态度，总是保持冷静而又灵活。也许，实验的结果不一定和课本上写的完全一样，但是，玛丽往往能够从错误当中，发现许多既新奇又有趣的结果。

有位教授名叫利普曼，她知道玛丽实验做得非常认真，也很细心，足以担任管理实验器材和药品的工作，就请玛丽当她的助手。

玛丽非常高兴，她想：当教授的助手，又管理实验器材，不就更有机会留在实验室里？她实在太喜欢做实验了，小时候对爸爸书房的迷恋，现在终于有机会认真做实验。她非常珍惜这样的机会，有时甚至在实验室里待上一天，也不觉得劳累。

除了化学实验，玛丽也被物理所深深吸引。

玛丽上大学的头一年，一心一意只想获得数学学位。在接触了化学、物理等学科以后，才发现自己对这方面的兴趣，竟然是这么浓厚；她沉迷在其中，也想获得物理学的学位。尽管如此，玛丽仍然希望早日得到数学学位，以便取得教师资格，然后回华沙陪伴爸爸。玛丽在阁楼里苦读的时间越来越长，甚至有时候研究功课太专注了，猛一抬头，才发觉天色已经亮了。

1983 年 6 月的某一天，学校物理系的教室门前，挤满了一大群紧张不安的学生。他们都是在等待通过物理学学士考试及格的名单，名字的顺序,是依照成绩的分数高低来公布的。

“来了,来了!”

在同学的嘈杂声中,物理系的主任和办事员,拿着一卷白色的卷轴,快步走了过来。大家立刻蜂拥而上,引颈注视着贴在公布栏上的及格名单。

“哇!第一名是玛丽·斯卡洛多斯卡。”

“玛丽·斯卡洛多斯卡是谁啊?”

“好像是女生!”

“是啊,是那个老是坐在第一排的女生。”

“是她呀!真厉害。”

同学们你一言我一语地说着,还在人群里找来找去,看看玛丽是否在场。

“斯卡洛多斯卡,这种姓名的人,应该不是法国人。如果不是俄国人,就是波兰人。”

“你知道吗?我们学校从开办以来,好像都是由外国人得到呢!”

“是啊!他们都是在本国的大学,以最优秀的成绩毕业以后,才来这里继续研究学问的。而且,他们的年龄,也比法国学生大得多。”

“可是,从来没听过是女生得第一名的。”

玛丽静静地听着,一声不响地从喧嚣的人群中溜走了,走出了校门。

“太好了!我得到第一名。我以第一名通过考试了。”

玛丽走路的脚步轻盈了许多,她想:我辛苦努力,终于开花结果,实在太棒了。

这个物理学的学士学位,是开启玛丽通往更高学术殿堂的第一扇门。

距离博士学位,距离第一次的诺贝尔物理学奖,第二次的诺贝尔化

学奖,只能说有些靠近了。但是,这毕竟也是一个开始啊!

30 年后,她重新回忆起这两年孜孜不倦、闭门苦读的日子,她说是一生中最甜美的记忆,这种心情是可以体会的。

玛丽愉快地回到阁楼,好像做了一场梦,这个梦是甜美的。她一倒在床上,很快就睡着了。

当她醒来的时候,发觉闷热的阳光,从小小的天窗照进屋子。

她不知道自己到底睡了多久,看了一下手表,已经是傍晚了。

玛丽连忙起身下床,正想伸伸懒腰,才发觉刚才连衣服和鞋子都没有脱下来,就上床睡觉了。

“啊! 睡得真舒服,这是来巴黎后,第一次睡得这么熟、这么甜!”

“这是一场梦吗? 在梦中,我获得了物理学学士的第一名。”

“你,你会不会想得太多了?”

玛丽喝了一大杯水,坐了下来,让自己镇静下来。

这个时候,楼梯传来有人快步跑上来的声音,正要起来,门已经打开,是姐姐布罗妮雅,她匆匆忙忙地跑了进来。

“姐姐,怎么是你?” 玛丽惊讶地叫着。

“恭喜你,玛丽。”

姐妹两人喜极而泣,紧紧地拥抱在一起。

“你怎么知道的?”

“是个波兰学生,她到家里来,说要向你道贺,我们才知道的。”

“哦! 我正想去你那里呢!”

“真是好消息,爸爸如果知道,一定高兴得不得了。”

“我自己也没有料到,真是意外啊!”

“不是意外,这是你努力得来的。好了,外面有一辆马车正等着我们。走吧!” 布罗妮雅催促着。

“要做什么?”玛丽十分不解。

“要做什么?要去庆祝,好好地庆祝一番。我们快点走吧!”

玛丽坐在马车上,觉得自己好幸福。她望了布罗妮雅一眼,突然说:“姐姐,真好啊!我们真的来到巴黎了。你如愿读完书,我也通过了考试。”

“是的,玛丽,我应该更感激你,你花了那么多年的时间去担任家教的工作,都是为了存钱给我,帮我完成学业。”

“我来到巴黎读书,也是受到你的照顾,不然怎么会有今天呢?”

两姐妹说着说着,马车也来到了布罗妮雅的家门口。姐夫在门口迎接,婴儿的哭声在屋子里面,也在迎接她们呢!

玛丽虽然得到物理学位,但是,她还没有获得数学学位。

她如果想取得教师资格,以便回华沙教数学,就必须再留下一年。可是,她已经把带来的钱都用光了,真是不知道该怎么办才好!

“这样吧!我就趁着暑假期间,回波兰,再担任家庭教师,多少可以赚些学费。”玛丽心里有了这个决定,就整理行装准备返回华沙。

返回华沙

玛丽和布罗妮雅一起到巴黎街上,到处逛,到处看。

她们来看各种小礼物,准备回华沙送给爸爸和哥哥姐姐。

暑假,玛丽终于回到离开了两年的家。

今年,华沙的夏天,在玛丽看来特别美丽,也特别快乐。

这一次,“玛丽”恢复到“玛妮雅”,她和亲爱的家人一起用餐。

“为玛妮雅的优异成绩干杯!”这是约瑟夫哥哥,医学院毕业了,现在是医生。

“恭喜玛妮雅，获得物理学学士学位!”这是学音乐的赫拉姐姐。

“努力才会有收获。”年长的爸爸，慈爱地看着玛妮雅。

“谢谢，谢谢。”玛丽露出笑容，回到华沙，回到家里，看到亲人，她心中感到无限温暖。

有一天，爸爸问玛丽：“你留在华沙教书，和爸爸住，好吗?”

玛丽正在烦恼如何筹措学费，怎么去找家教，她很难回答爸爸的问题。

就在这时，玛丽在巴黎念书的同学兹依斯嘉，写了封信给她。

兹依斯嘉是玛丽的好朋友，她对玛丽的身世、遭遇和理想都很了解。玛丽暑假回华沙，她特别写这封信，鼓励玛丽继续回到巴黎读书。她在信上写着：

亲爱的玛丽：

相信你回到家一定很开心，和家人团聚，可以纾解你在巴黎的思念之苦。

玛丽，你找家庭教师的工作顺利吗?告诉你一个好消息，你不用去当家教了，因为我已经帮你申请了助学金。这个助学金，是专门为外国优秀的留学生设立的，叫做“亚历山大助学金”，可以慢慢偿还。

助学金的金额是600卢布，这些钱，相信足够你四五个月的生活开销。现在，你可以放心和家人团聚，等到开学再回来，继续你的数学学位。

祝你回家快乐!

玛丽看了这封信，好像中了头彩一般，欣喜若狂。

“好吧!你不要考虑陪我了，既然有了助学金，也可以减轻爸爸的

负担。”

“可是，爸爸，我还是舍不得您啊！”

“傻孩子，你不是去读数学学位吗？读完就可以取得教师资格，再回到华沙来当老师啊！放心地去吧！”

“是的，爸爸，我保证一年就可以回来了。只要获得数学学士学位，我们的愿望就算达成了。那个时候，我哪里都不去，一定跟您住在一起。”

虽然学校 11 月才开课，可是，玛丽在 9 月中旬就到巴黎了，她需要找寻新的宿舍。

她回到学校，找到了兹依斯嘉这位好朋友。

“兹依斯嘉，真是万分感谢你呐！如果不是你的帮忙，我还不知道怎么筹措学费和生活费呢！”

“玛丽，我们是好朋友，好朋友就应该互相帮忙啊！”

玛丽十分珍惜这样的机会。

她们两人一起去找住的地方，她们找到的房子，距离索邦大学只有七分钟的路程，上课十分方便。这里的环境很宁静，房子住起来也很舒适；和上次的小阁楼比起来，玛丽对于这个住处感到很满意。

遇见皮埃尔·居里

新的学期开始了。玛丽重新回到索邦大学的文理学院,她已经获得物理学学士学位,现在只有数学的课程,时间比较充裕了;同时,因为有助学金的帮助,她的生活不再像以前那么艰苦。

她在巴黎找到了家庭教师的工作,学生是索邦大学的法籍同学,程度还不错,玛丽可以胜任,比起教不用功的学生,要来得轻松多了。可是,这个家教的收入,还不够她偿还助学金呢!

这时,玛丽物理学的恩师利普曼教授,介绍她到法国工业振兴协会去做研究工作。这份工作对玛丽来说像是一场及时雨,可以帮她解决生活的问题;也是一个挑战,因为研究工作并没有想象中容易,有许多问题需要解决。

法国工业振兴协会的研究工作,是要调查铁的磁性。

凡是用铁制成的时钟、弹簧等精密零件,如果放在磁铁或收音机旁,

经常会发生故障。为什么？因为铁本身所具有的磁性，会和磁铁的磁力互相吸引。因此，精密仪器的制作，一定要使用磁性比较小的钢铁才可以。

工业振兴协会就是委托玛丽研究防御磁性的方法，不过，玛丽遇到的难题，是她找不到适合实验的研究室。

利普曼教授在索邦大学里虽然拥有一间设备齐全的研究室，但是，她自己也要利用它做不少实验，无法空出位置来借给玛丽。

就在玛丽深感困惑的时候，在瑞士物理学校任教的巴尔斯基教授正巧来到巴黎。巴尔斯基教授是移民瑞士的波兰籍教授、拥有高知名度的学者，玛丽非常尊敬他，他们曾经见过面。这次，巴尔斯基教授因为度假而来到巴黎，顺便探望玛丽。

当天晚上，玛丽来到巴尔斯基教授住宿的地方，两人聊得很愉快。他们无所不谈，除了谈物理的研究以外，还谈起有关钢铁磁性能的问题。玛丽告诉他，自己正为找不到适当的研究场所而困扰。

巴尔斯基教授低头想了一下，说："我可以介绍你认识一个人。他是一位年轻有为的学者，也很乐于助人，就住在罗蒙街。他就是皮埃尔·居里教授[1]，巴黎理科大学的教授。我想，如果他愿意的话，不仅可以为你解决实验室的问题，还可以在工作上协助你。"

"真是太好了，谢谢您！"

"我看这样吧，你们不妨先见个面，好吗？"

"好，当然好，要麻烦老师了！"

"我来约他，明天晚上你再来一趟，我们一起喝茶，我会把皮埃尔·居里请过来。"

"感谢您，老师，明晚我一定来。"玛丽满怀感激地和教授挥手道别，

1　皮埃尔·居里当时是巴黎理科大学的实验室主任，是"居里天平"的发明人，曾经发表有关磁学的"居里法则"。年纪轻轻的他，就在法国、英国和德国的学术界享有盛名。

她期待着另一位恩师的出现。

皮埃尔·居里是谁?

皮埃尔在1859年的5月,出生于巴黎。他的家庭世代都是医生,爸爸是大学教授,并开设一家医院,是个相当活跃的人物。居里家住在巴黎的市郊,皮埃尔和哥哥雅各布,兄弟俩从小就受到爸爸的影响,非常喜欢接近大自然。

小时候的皮埃尔,非常喜欢观察各种东西,为了看院子里的蚂蚁洞,他可以蹲上好几个小时;为了看草原上的花朵,就坐在那里不离开。他经常跑到野外去,收集各式各样的小花小草,摆放在桌上,再拿出植物图鉴,一一查出它们的名称。

皮埃尔跟与他同龄的小孩处不来,他不喜欢上学,不喜欢上课。

"就让他再试试看,应该还有办法使他喜欢留在教室里的。"妈妈不愿意放弃他在学校上课的机会。

"学校里是要跟着功课表,循规蹈矩来上课的。皮埃尔喜欢自由的学习,怎么能忍受呢?"皮埃尔的爸爸比较能够接纳小孩子的自由学习态度。

"我们的孩子,他每次看一样东西,哪次不是要在那里待上半天。"

"是啊!真不知道他小小的头脑里,到底在想些什么?"

"这个孩子,据我观察,在科学方面是很有兴趣的。我看他很会去发现问题,再尝试找到答案。"

"既然这样,我们自己先教一段时间,接下来可以请老师到家里来呀!"

居里医生觉得这样很有道理。

结果,皮埃尔小的时候,没有正式到学校去读书,而由爸爸和妈妈共同来教导。妈妈教他读书和写字,爸爸带着他观察大自然的现象。后来聘请著名的科学家巴吉鲁来家里,教皮埃尔拉丁文和数学。

因为家里拥有许多藏书，可以让他自由阅读，皮埃尔的知识在平常的日积月累中，并不输给同龄人。

皮埃尔十四岁的时候，取得了索邦大学的入学资格；十八岁，获得理学学士的学位；到了十九岁，他就被聘请为索邦附近一所理科大学的助教。

皮埃尔和哥哥雅各布是最好的搭档。他们两个人同样都是理学士，还在同一所大学担任助教的工作。兄弟俩经常在空余的时间互相研讨学问。

相见欢

第二天晚上，玛丽依照约定，又来到巴尔斯基教授住宿的地方。

当玛丽走进房间，皮埃尔·居里已经到了。

巴尔斯基教授微笑地介绍说：“这位是玛丽·斯卡洛多斯卡，是索邦大学理学院的学生。”

他接着介绍：“这位是皮埃尔·居里先生，‘居里法则’的发明人。”

玛丽对这位年轻的学者仰慕已久，她很有礼貌地和他握手。

皮埃尔有一种特殊的气质；这种气质震撼了玛丽的心灵。

后来，玛丽曾经这样说过：“当我走进屋内的时候，皮埃尔正面对着窗户站着，当时他已经三十五岁，看起来比实际年龄年轻许多。他的眼神，看起来很清澄；他的身材高瘦，显得很潇洒。我情不自禁地被吸引了。”

“他说话的神情也很特殊，一面思考，一面慢条斯理地说着；他笑起来，有些严肃，又显得很清纯，让我不由自主地产生信赖感。”

看起来，认识皮埃尔，应该是玛丽生命中最甜美的记忆。

而皮埃尔对玛丽的印象，又是怎样的呢？他说："那一天，她穿着一件黑色衣裳，我立刻凭直觉感到，她是一个朴实的女学生。她宽阔的额头下，有着一双灰蓝色的大眼睛，散发出热情的光芒。当我和她握手的时候，触摸到的，竟是一双粗糙的手，着实吓了一跳。"

皮埃尔·居里以往握过的女性的手，大都非常白皙柔细，而且手指上也戴了好几枚戒指。玛丽可不像她们，她一整天都待在实验室里，经常要接触各种药品；冬天的时候，她又没有擦护手霜，手当然很粗糙，而且粗糙得令人一时分辨不出那是女性的手。

这样的惊愕，只是短暂的，只停留一瞬间，两人很快就聊了起来。

皮埃尔谈到有关物理学的专业知识时，玛丽苍白的脸颊，泛起了红晕，眼睛也闪闪发光；当他谈到比较深奥的专有名词时，她仔细地聆听，还能提出问题来请教他。

玛丽谨慎的态度，独特的见解，以及娴静的风度，令人感觉非常优雅迷人。皮埃尔凭直觉感到，眼前这个女孩非常了不起。

当时，皮埃尔三十五岁，玛丽二十七岁。

对于玛丽的困难，皮埃尔很乐于帮忙。他把理科大学里的一间实验室空出来，借给玛丽。他热心地告诉玛丽："我拥有一部很特殊的磁性测定器，是全世界仅有的一部，它是我和哥哥雅各布共同设计出来的，这个月我可以借给你使用。"

就这样，玛丽每天从她的住所出发，走路只需要三分钟的路程，就可以到达理科大学的实验室，开始她的研究工作。

"真可爱啊！小镜子前端，好像火柴棒的东西，是什么呀？"

玛丽好奇地问皮埃尔，她从来没有见过这样的仪器。

"是磁铁。这部仪器就是磁性测定器。"皮埃尔这样介绍。

"装置这么简单，可以测定精密的磁性吗？"玛丽因为不了解而感到

怀疑。

“当然可以,我现在就教你使用的方法。”

皮埃尔跟玛丽详细地说明测定器的使用方法,并拿出一本杂志给玛丽,告诉她:“这里面有一篇我发表的研究论文,也许能提供你参考,对你现在的工作,应该是有帮助的。有空的时候,不妨翻一翻,看一下,如果要带回去也可以。”

当天晚上,玛丽一回到宿舍,立刻拿出那本杂志,仔细地阅读。

“1880 年,14 年前,他也不过才二十岁出头,就能发表这样的文章?真是天才!”玛丽一翻阅到杂志的出版日期,简直惊讶极了。

“我呢?我在二十岁出头的时候,还在为了是否要继续研究物理学而困惑不已呢!他就已经发表了深受瞩目的研究论文。还有,论文的内容,讨论的竟是令人惊叹的‘压电’[1]。实在太神奇了!”

“压电,什么是压电呢?”玛丽十分好奇。她继续阅读论文的内容。

什么是压电?压电,就是沿着结晶体的对称轴方向,施以外力,这个结晶体会有膨胀或是压缩的现象,结晶体内的磁场因此改变,这样所产生的电的极化作用(也就是正电和负电分立两方);如果以导线来连接结晶体的两端,那么,电流就会自然流通。

玛丽读着读着,又发现杂志里还有一篇皮埃尔所发表的文章。内容是探讨:磁铁的磁性会随着温度的升高而减弱,在减弱的过程中,有一定的法则;皮埃尔就是这个法则的发现者,后人称它为“居里定律”。

如果磁铁的温度超过它的临界值(指磁铁所能承受的最高温度或最低温度),磁性就会立即消失,这个临界温度,也是皮埃尔所发现的,称为

1　压电在日常生活中的应用:在火锅饭店,或是较大的烧烤场里,有一些价钱比较贵的打火器,它看起来好像一把枪,它既不需要用电池,也没有打火石,而且可以使用很久。这种打火器所应用的是“压电”的原理。

“居里温度”，或是“居里点”。

当玛丽阅读这篇论文的时候，皮埃尔的研究还没有被学术界承认。不过，玛丽相信，假如皮埃尔的主张没有错误，这些理论将是物理学上的重大发现。

“唉！和他比起来，我的学识实在太浅薄了，我应该要更加努力才行。而且要好好珍惜他的指导才对。”玛丽变得坐立不安，开始在房间里踱步。

另一方面，皮埃尔对玛丽的观感如何呢？

皮埃尔一直认为，人生最大的目的，就是研究科学，所以没有考虑到结婚的问题。他也明白，即使结婚、生子，妻儿在他的人生中，也只居于次要的地位；如此一来，还有哪一位女孩敢嫁给他呢？

皮埃尔想抱独身主义的念头，在他和玛丽认识以后，逐渐消失了。原本还怕自己的时间会被恋爱和结婚所剥夺，现在情况不一样了。

两人见面时，无所不谈，从物理、科学，甚至谈到彼此的家庭。分开以后，又很想念她。他总是想：“这个女孩，多么聪明、多么美丽啊！”

皮埃尔一向以为女孩子当中，没有天才；遇到了玛丽以后，看法有了改变。

他又想：“这个女孩，可真拥有惊人的天分，而且温和有礼；如果没有她，我的人生将变得没有意义。”

此后，两人经常见面，经常到塞纳—马恩省河畔漫步，或是到郊外的森林散步。皮埃尔也经常去玛丽的住处，彼此谈论着学问，几乎忘了时间。他把自己写的书送给玛丽，上面题着：

> 送给斯卡洛多斯卡小姐。
>
> 以作者无限的敬意和友谊！

日子一天天过去。转眼之间，数学学士的考期就要到了。为了准备功课，玛丽闭门苦读，有一段时间没有和皮埃尔见面。

终于，在1894年7月，玛丽以第二名的成绩，获得数学学士学位。此外，她也完成了法国工业振兴协会的那一项研究，得到一笔酬金，很顺利地偿还了助学金。

助学金财团的秘书很惊讶地说："从来没有人可以这么快就还清助学金的，你倒是头一个。"

玛丽回答："如果我尽早还清，你们就可以再把这笔钱借给需要的清寒学生了。所以我拼命努力，设法筹措。"玛丽善良的心地、诚挚的语言，使秘书很感动。

成为玛丽·居里

玛丽因为有事情离开巴黎回到华沙，在这段时间，她一方面和心中爱慕的皮埃尔保持信件的往来，一方面和父亲一起去旅行，这是他们期盼已久的事情。皮埃尔有一封信是这样写的：

> 亲爱的玛丽：
>
> 接到你的信，令我兴奋不已！
>
> 我相信这次的旅行，一定可以使你身体健康、精神愉快；也相信秋天一到，你一定会返回巴黎。
>
> 假如你真的回到巴黎，不只是你的福气，也是我的福气。因为在巴黎，你可以深入地继续研究学问，为人类做一番有意义的事。
>
> 皮埃尔敬上

玛丽读了这封信，也有同样的感觉，她是一位十分酷爱知识的人，而巴黎是一个人文荟萃的自由城市，是她心目中可以追求知识和学问的地方，何况还有一位等待她回去的好朋友。可是，她对于父亲有些不舍，暗自希望有更多的时间可以陪伴父亲。

这时，父亲看出了她的心事，微笑着说："不要担心我，在华沙，我可以快乐地过生活。你就安心地展翅飞翔吧！那里，有爱你的人，有你追求的梦想。"

玛丽大吃一惊，结结巴巴地说："爸——爸——你，你怎么知道的？"

爸爸搂了搂玛丽，好像又回到小时候听他说故事的甜美景象，"我当然知道，宝贝女儿的心事，是瞒不过我的。"

原来，布罗妮雅早就写信回去通知这件好事了。

1895 年 7 月 26 日，学校开始放暑假了，校园显得很宁静。这一天，天气晴朗，天空万里无云，是玛丽和皮埃尔结婚的日子。

玛丽起了个大早，呼吸着新鲜空气，心情特别愉快。她想到就要告别单身生活，忍不住再一次环顾这个房子，心里有点儿依依不舍。

她又想到这位名闻遐迩的科学家，对自己是这样的真诚，所以，和他结婚，应该是非常明智的选择。

"皮埃尔一定会给我幸福的。啊！我是个幸运又幸福的人。"想到这里，玛丽不禁笑了起来。正巧，姐姐布罗妮雅来了。她来帮忙梳妆打扮。

布罗妮雅先将玛丽金黄色的长发高高挽起，再帮她穿上新娘礼服——浅蓝色的上衣，配上深蓝色的长裙——是皮埃尔的妈妈送给玛丽的结婚礼物。

她们一起去礼服店挑选礼服时，一向节俭的玛丽说："我不需要特别的结婚礼服，也不要太华丽的。我希望实用的礼服，婚礼结束以后，可以改成工作服，一举两得。”

皮埃尔和妈妈都表示尊重她的选择。不过，这套蓝色系的衣服，穿在玛丽身上，再合适不过了，也衬托得她更美丽、更清新；跟昂贵的婚纱比较起来，一点儿也不逊色。

他们的婚礼，在居里家的庭院里举行。玛丽的爸爸，她的姐姐赫拉、布罗妮雅夫妇以及皮埃尔的爸爸、哥哥、堂兄都来参加，还有大学的教授也来参加这个喜宴。

没有闪亮亮的金戒指，也没有盛大的宴席，但是，这是一个美妙的婚礼，洋溢着喜气，充满了真诚和温暖。

每个人都向这对新人，致上最诚挚的祝福。

玛丽的爸爸对皮埃尔的爸爸说：“你将会发现玛丽是一个好媳妇的。这个孩子，从来就没让我操心过。”

皮埃尔的爸爸点点头，微笑着说：“我相信这是真的，我们会好好对待她的，请你放心。”

玛丽在双方家人的祝福声中，成为居里家族的一份子，她成了居里夫人。

这一年，玛丽二十八岁，皮埃尔三十六岁。

从现在起，玛丽·斯卡洛多斯卡，就成了玛丽·居里。

皮埃尔和玛丽都非常热爱大自然。皮埃尔的堂哥送给他们的结婚礼物——两部脚踏车，正好让他们骑着到乡间漫游，展开诗情画意的蜜月旅行。

一场大雨过后，巴黎的林荫大道绿意盎然，金色的阳光从树叶间透下来，小雨滴还不时地滴落在皮埃尔和玛丽两个人头上。

他们一个人一部脚踏车，穿过微暗的森林，骑进了乡间小道。新车子的车轮急速地转动，一闪一闪地发着光。

“我们不要有固定的目的地，高兴怎么骑就怎么骑，好吗？”

“好啊！骑到哪里，就住哪里。”

两个人一边聊着天，一边踩着；愈说愈开心，愈骑愈快。

天色慢慢暗了下来。他们找到一间干净、素雅的小旅馆，爬上二楼，木梯嘎吱嘎吱地响着；进入房间时，玛丽一看，不禁惊喜地欢呼了起来。

“哎呀！这里还点着蜡烛呢！”

宁静的夜晚，充满罗曼蒂克的气氛，这对新婚夫妇好好地休息了一个晚上。

第二天，用过早餐，他们带着水和食物，又往另一个方向出发。

在森林隐密处，他们意外地发现一个水池。

玛丽舒舒服服地躺在水池边，闭上眼睛。远处的狗吠声，断断续续地传过来；树叶在风中，轻轻细细的呢喃声，在耳边响着；鸟鸣声远远近近，婉转悦耳。这个森林，看起来多么宁谧；仔细聆听，又是多么喧嚣热闹。

玛丽沉醉着，都快要睡着了，突然间，皮埃尔把一团黏答答、冷湿湿的东西，放在她的手臂上。玛丽惊叫着，一跃而起。

“啊呀！什么东西？”

“是一只小青蛙。怎么，你害怕青蛙？”

皮埃尔也吓了一跳，他一手把青蛙放回自己的手上。

“你看，它不可怕，挺可爱的，不是吗？”

“是可爱，不过，它可能希望回到妈妈身边。”

皮埃尔顺手把小青蛙给放了，他们看着小青蛙一蹦一跳地跃入水里，两个人相视而笑。

皮埃尔又在池塘边，摘了几株野花，插在玛丽的头上。

“谢谢！我还是喜欢你送花给我，花比小青蛙漂亮多了。”

两个人又继续在森林的小径上，边散步边聊天。

皮埃尔谈他小时候喜欢看野花野草，一看就是几个小时；还说他泡在植物池塘里的糗事，玛丽听了，大笑起来。

“好玩啊，妈妈都没有责备你，真不错。”

玛丽也告诉皮埃尔她在田野里奔跑、爬树，以及属于她自己的“秘密角落”的童年趣事。

“我知道我们为什么会结婚了。”皮埃尔恍然大悟地说着。

“为什么？”

“因为我们太臭味相投了。”

“都那么喜欢大自然。”

“对啊，都喜欢大自然，连蜜月都跑到这里悠闲。”

两个人手牵着手，开心地继续往前逛。

他们蜜月旅行的最后一个目的地，是一个俭朴清幽的小农庄。这个小农庄是玛丽家人每年夏天都来避暑度假的地方，玛丽和皮埃尔一到达农庄，布罗妮雅和赫拉就立刻出来迎接。

晚上，布罗妮雅把她的拿手好菜，摆满了一桌。家人围坐在一起，享受丰盛的晚餐。

布罗妮雅开玩笑地说：“玛丽很少到厨房，我看她从来没有认真烧过一道菜。皮埃尔，你会不会介意啊！”

“没关系，我不挑食，有得吃就可以了。”

玛丽很感谢皮埃尔这么说，不过，她还是从布罗妮雅那里学会许多烹饪技巧，她说：“我会认真学习做饭、做菜，有机会好好伺候公公和婆婆。”

“对啊，这样才不会让公婆觉得，怎么波兰人连一道像样的汤，都不会做。”这是赫拉给玛丽的意见。

皮埃尔被她们姐妹的真诚感动了，他马上对着赫拉和布罗妮雅说："我也要好好学说波兰话，就拜两位为师吧！"

他认真的态度，说话有趣的模样，让大家都笑了起来。

"啊！我好幸福。"玛丽的心里，充满了幸福快乐。

新的生活

蜜月结束以后，居里夫妇回到巴黎，他们住在一间公寓的五楼。公寓虽然有三个房间，家具却很少。

"家里尽量布置得简单一点。"

"我赞成。研究工作才是最重要的。"

"桌子一张，椅子只要两把就够了。但是，客人来了怎么办？"

"我们恐怕没有时间招待客人吧？"

"你说得有道理，我们会很忙的。"

家里的家具很简陋，书籍、灯钇[1]、物理学的实验器材以及研究的必需品，却堆积如山。

皮埃尔回到理科大学上班，他在同一栋楼，安排了一个小小的实验空间，提供玛丽做研究，让她可以继续测量、研究不同钢制品的磁性。

皮埃尔提供她所需要的设备，帮助她校正那些精密的仪器，还传授她有关磁学方面的相关知识。

皮埃尔和玛丽夫妇，开始了科学研究的合作。

皮埃尔在笔记本上写着："我们梦想着，梦想有一天能离群索居，生活在没有其他人的世界里。"这是他们夫妻个性中，很重要的一部分。

1 钇：提供煤气灯纱罩之用。

每天早上，皮埃尔到理化学校去授课，玛丽到实验室工作，傍晚时分，两人手牵手、肩并肩地回家。

有一次，居里医生夫妇过去看看他们的新家，返回路上的途中，皮埃尔的妈妈说：

“怎么会这样呢？未免太简陋了。”

皮埃尔的爸爸也有同感。

“下次吃晚饭的时候，再问问看。”

又到了皮埃尔家人一起共进晚餐的时间。

居里医生忍不住说：“你们需要什么，尽管说，我买给你们当新婚贺礼。”玛丽心里明白，这是针对家具简陋这件事说的。她只好说实话：“我们都很忙，也没有太多时间整理，所以，决定简单一点。”

老人家听了，对于他们不愿意浪费一分一秒的研究时间，觉得不可思议，却也感动万分。

皮埃尔的薪水，每个月才500法郎，他们必须十分节俭才能维持生活。玛丽的生活本来就很俭朴，她在新生活的第一天，就买了一本收支簿。她想：“现在，是两个人在过生活，可不能像住在阁楼一样，没有钱就不吃东西。皮埃尔的薪水，我一定要好好地规划，吃饭要用多少钱，买书需要多少钱，研究费用呢？都需要做妥善的安排。”

玛丽在金钱方面的使用，在收支簿上记载得一清二楚；她做菜的方法也与众不同，非常科学化。她经常把食谱反复看过好几遍，再实际操作，做完菜以后，把详细的过程记录下来；如果遇到失败，也仔细地记载检讨。

“9月5日，蛋糕烤焦，可能是时间没有掌握好。”

“10月21日，蛋卷缺乏弹性，因为奶油加热的时间不够。”

事实上，皮埃尔是一个不挑食的人，不论蛋卷做得好不好吃，蛋糕有

没有烤焦,他都会说:“好吃,好吃。”

有一天,玛丽为了博得皮埃尔的欢心,她特别学了一道菜。

“怎么样?好吃吗?”玛丽试探着问。

“什么怎么样?我正在想一个解题的方法呢!”

玛丽一听,真是啼笑皆非,皮埃尔根本不在乎学问以外的事情。后来,玛丽就不会花太多时间在菜色方面了。她用很短的时间来处理家务事,抓紧剩下的时间来读书。

玛丽并不觉得生活清苦,但是如果还要添购新的研究书籍,就会显得有些拮据。因此,她决心找一份有薪水的工作,开始准备参加中学教师的检定考试。

这个时候的玛丽,必须身兼数职:煮饭、烧菜、洗衣、打扫……还要做实验,准备考试。时间安排得很紧凑,使得玛丽觉得时间不够用,她只好利用皮埃尔尚未起床的时间,先上菜市场购物,傍晚和皮埃尔一起从学校回家时,顺路到食品店买些东西。他们家的灯光,往往过了午夜十二时,甚至到了清晨两三点钟,都还亮着。两个人面对面而坐,在石油灯下各自准备功课。

玛丽结婚后第二年的3月,哥哥约瑟夫写了一封信给她,告诉她赫拉要结婚了,请她回华沙参加婚礼。玛丽看完信以后,回了一封信:

亲爱的哥哥:

非常高兴收到你的来信,恭喜姐姐找到了理想的对象,我由衷地祝福她,希望她生活快乐。但是,我实在抽不出时间回去。

现在,我们过的是读书、做功课的简朴生活,既没有去看戏剧表演,也不听音乐,只是专心地做学问,没有一丝一毫的娱乐活动。

我们这样过着刻苦的日子,是因为我期盼能顺利通过检定考试而成为中学教师，这样才能帮助我们摆脱窘困的生活。

这个时候的巴黎，朱槿花盛开，便宜而美丽，因此在我们简陋的公寓里，也点缀着鲜美的花朵。

最后，请向姐姐道贺，并请原谅我无法前往观礼。

妹 玛丽敬上

玛丽和波兰华沙的家人，虽然无法经常见面，却仍然保持着密切的联络，保持着跟小时候一样的亲密情感。

8月是炎热的季节，玛丽终于以第一名的优越成绩，通过检定考试，取得中学教师的任用资格。对居里夫妇来说，这当然是一件莫大的喜事。皮埃尔高兴地说：

"恭喜你，玛丽。我们去庆贺一番吧！我们到哪里去好呢？"

"骑脚踏车去兜风吧！"

仿佛又回到新婚蜜月旅行的甜蜜时光，两部轻快的脚踏车，载着一对喜爱大自然的夫妇，往高原地区前进了。平常两人生活步调很紧凑，但是内心深处，却向往着美丽的大地，大地上有碧绿如茵的草原，有苍翠蓊郁的树林，有飘着淡淡香味的野草。新鲜的空气，无争的自然，舒缓了他们辛苦读书做学问的心情。走在这样优闲的乡间林地上，他们重新恢复了研究创新的活力。

他们越过高原，渡过溪涧，在朝阳里出发，夕阳西下时分，投宿在乡村旅店。对他们来说，在美丽的月夜骑车兜风，赏月、观星都是乐趣无穷的事。

小女王

1897年9月13日,他们第一个女儿伊莲诞生了。

伊莲生下来瘦弱不堪,她对忙碌的妈妈一点儿也不体谅。她想哭的时候,就放声大哭;爱闹的时候,就闹翻天。这让妈妈忙得团团转。

有一次,伊莲突然发高烧,玛丽担心得不得了。

"哎哟,她全身发烫,热度好高!皮埃尔,怎么办呢?"

"真是可怜!"

科学家的爸爸和妈妈,只好把研究抛在一边,一个晚上不眠不歇地照顾伊莲。

又有一次,玛丽在研究室里,突然挂念起托保姆带的伊莲。

"难道伊莲发生了什么事吗?"

一阵不安,袭上了玛丽的心头,她不顾一切放下工作,马上飞奔回家。

回到家里,还没进门,玛丽就叫着:

"伊莲,伊莲呢?"

还好,什么事情也没有发生。伊莲好端端地在那里玩着呢!玛丽这才放下心,又回到研究室去工作。

玛丽把伊莲叫做"我的小女王",她的确是一位非常温柔的妈妈。

要做研究,要做家事,还要照顾皮埃尔和小女王伊莲,玛丽越来越忙碌了。

忙碌的玛丽,由于过度疲劳,身体逐渐衰弱;后来经过姐夫医生证实是罹患跟母亲一样的病症——肺结核。

玛丽不禁担心了起来,母亲就是因为肺结核过世的。想到这里,母亲的影像,在脑海中回绕不已!思念母亲的泪水,挤满了眼眶。

姐夫医生劝她静养几个月，可是，母亲当年从疗养院静养归来后，瘦得不成人形的模样，让她放弃静养。

“我才三十岁，还年轻；小伊莲也嗷嗷待哺，正处于需要母爱的阶段；而我的研究工作，也无法暂停。我必须靠自己坚强的意志克服病魔。”玛丽在夜深人静的时候，总是这样告诉自己。

既然不愿静养，为了减轻工作负担，她请了一个奶妈来照顾小伊莲。当他们夫妇上班时，奶妈就陪着小伊莲，有时让小伊莲坐在娃娃车里，推到公园去散步。小伊莲在公园里开心地玩着，玛丽偶尔会暂时离开实验室，到公园里陪她玩耍。

虽然请了奶妈，但是小伊莲洗澡、换尿布的事情，玛丽不肯假手他人，这是一份她认为可以维系母女亲密关系的差事，她非常乐于亲自处理。

后来，小伊莲得了百日咳、流行性感冒；她痛苦的啼哭声，使他们无心读书，一连好几个晚上都在病床旁守护。

皮埃尔的爸爸老居里医生出面了，他说：“就让我来照顾小伊莲吧！”皮埃尔的妈妈在小伊莲出生后没多久就过世，老医生舍不得孙子生病，舍不得儿子和媳妇又要工作又要读书又要费心照顾，所以决定搬过来和他们同住一起。

皮埃尔另外找了一个光线良好、较为宽敞的公寓，全家搬了过去。从此，这个家三代同堂，有刚刚出生的小伊莲，有年轻的居里夫妇，还有从医生退休下来的爷爷。

这位既是学者又是医生的老人家，专心地照顾小伊莲，尽量不去干扰儿子和媳妇读书。

家里有人帮忙照料，玛丽想：我已经拥有物理、数学两种学士学位，接下来可以做什么事情呢？她想了又想，在和皮埃尔商量过后，决定撰写博

士论文。这项决定也得到医生公公的赞同和鼓励。

伊莲是聪明伶俐的小女孩，善良、博学又精力充沛的医生爷爷是她的最爱。

她和爷爷一起观赏图画书，也和爷爷一起到公园散步玩耍。

不论是在家里，还是外出游玩，小伊莲和爷爷总有说不完的故事，总有玩不尽的游戏。

巴黎的春天，经常是春雨绵绵的季节。

一个下雨天，雷电交加，倾盆大雨，十岁的伊莲躲在被窝里，一手捂住耳朵，一手抓住棉被，害怕极了！

玛丽非常不以为然，心想：胆小的孩子，以后还能成什么大器？于是，她一把掀起伊莲紧紧抓住的棉被，伊莲以为妈妈会抱住她，说："别怕，别怕，乖女儿。"所以很快扑向妈妈的怀抱，撒娇地说："妈，我好害怕！"

玛丽并没有紧紧地搂住伊莲，反而语气坚决地命令她："好好坐在椅子上。"接着，站在她旁边，用浅显的方式，说明雷电的原因，她说："当地面的热空气，携带着大量的水汽，不断地上升、上升，到了高空，形成大片大片的云朵，这些云朵，又厚又重，叫做'积雨云'。"

她停了一下，又接着说："许多积雨云聚集在一起，就会形成'雷雨云'；地面因为受到雷雨云的电荷感应，也会带上和云朵相反符号的电荷。当云层里的电荷越积越多，达到一定强度时，就会把空气击穿，打开一条狭窄的通道，而强行放电。当云层放电的时候，由于云里的电流很强，通道上的空气，一瞬间被烧得灼热，发出耀眼的强光，这就是闪电。"

十岁的伊莲，听见妈妈对闪电的侃侃而谈，似懂非懂；但是，就像听慈祥的爷爷讲故事一样，她已经忘记了刚才的恐惧，而听得十分入神。

"妈，如果闪电落到我们家来，那怎么办呢？"

"不会，"玛丽斩钉截铁地说，"我们家有避雷针。"

“避雷针，它是怎么做的？”

“为了避免被雷击，人们就在较高大、较突出的建筑物上，装置了‘避雷针’。”玛丽看伊莲的恐惧已经逐渐消退，接着说：“避雷针的一端尖尖的，它有吸电的特性，可以把天空中漫无目标的电，缓慢地吸引下来，使云层里的电量减少到最低的程度。这么一来，大地和云层之间，就不会发生雷击现象了。”

“我们家装有避雷针，可是如果掉到别人家，是不是会发生火灾？”伊莲的想象力很丰富。

“不会。”

“为什么不会？”

“因为大家的屋子都是砖头建造的。”

“如果有人家的屋子是木头造的呢？”伊莲会这样问，是因为她曾经和爷爷到乡下去玩，看见过小木屋。她又接着说：“我讨厌闪电。”

妈妈走近窗户，拉上窗帘，笑着说：“这样，闪电的光就进不来了。”

“那么，妈，雷的声音，就不是恶魔的声音啰？”

“当然不是恶魔的声音，那是童话故事里的说法。事实上那是电的作用。”

“那么，雷会抓小孩，也是童话故事吗？”

“是啊！雷如果会抓小孩，也是一种故事的比喻，比喻雷是很有力量的神，凡是有人故意做坏事，就会被雷劈死。”

母女两人愈谈愈起劲了。

“打雷的时候，我看大家都赶紧跑进屋子里面，我还以为雷是恶魔，看见人就把他们抓走呢！”伊莲想起打雷的情景，忍不住这么说。

“打雷的时候，是应该要往屋子里跑，因为在外面很危险，尤其是在大树下，那更危险。屋子上头有避雷针，所以是安全的。”

“我知道了，妈，以后我不怕了。”

此后，伊莲受到母亲的影响更深了。

玛丽一向不喜欢神怪故事，她认为这对孩子的教育没有帮助；如果有谁在孩子面前谈论鬼怪，她一定毫不客气地责怪，而且她也不让伊莲接触到这样的书刊。

也许有些孩子害怕黑暗，不敢在漆黑的房间睡觉；但是，伊莲从妈妈那里知道，黑暗的地方没有鬼怪，所以没什么好害怕的。

经过长时间的训练，伊莲的独立个性，已经有了明显的突出；她甚至可以单独一个人搭火车，到远处的亲戚家去。

除了训练孩子的胆识，玛丽也关心孩子的健康情形。

她在院子里设置单杠，摆设秋千和跳环，让伊莲玩，锻炼她的身体。此外，她还送孩子到体操学校，“强健的身体，是学业和事业的基础。”玛丽想起幼年时期和母亲的生死分离，又想到自己多病的悲苦。

许多个星期日的下午，是孩子们最快乐的时候。

“妈，脚踏车的轮胎，我已经打好气了。”伊莲说着。

“好，我们出发吧！”

母女两人，神清气爽地各自骑着一部脚踏车，声势浩大地前往郊区。伊莲是个鬼灵精，她一点也不服输的样子，拼命地踩着踏板，想要赶在妈妈前面。她们说说笑笑，既轻松又要比赛；总之，两部脚踏车就这样奔驰在旷野的马路上。凉风，吹拂着汗湿的额头；凉风，也吹拂着被太阳晒红的脸颊。

玛丽和孩子从运动当中，得到了心灵上的治疗，也从运动中，培养了母女亲密的情感。

她们也常常利用暑假期间，一起前往海边，观看宽阔的大海，投入大海的怀抱，学习游泳，学习敞开心胸包容一切。

镭的发现

发现新元素

玛丽和皮埃尔一起从学校回来，他们边走边聊着有关居里老医生和女儿伊莲。

“现在，伊莲和爷爷相处得很好，看了真开心。”玛丽十分感谢居里老医生。

“是啊，这样可以替我们分担一些辛劳，也可以增加三代同堂的感情，真是一举两得呢！”皮埃尔也很认同这样的做法。

“时间过得真快，我从华沙来到巴黎，也有六年的时间了。”

“这六年，你的收获很丰富，数学和物理都得到了学士的学位，也通过了中学教师的考试。”

“还有，我也发表了有关磁气的研究。不过，这都是你的功劳，你是我最好的老师。”

“也是你认真研究的成果啊！你也算是一流的科学家了。”

“如果要当个一流的科学家,可能还要获得博士学位才行,你觉得呢?”

“好啊!当然好,我举双手赞成。”皮埃尔真是玛丽的好老师。

玛丽开始寻找撰写论文的题材了,她请教皮埃尔的意见。

“最好是学者都还没有研究过的问题,这样比较有意义。”

玛丽觉得很有道理。她开始广泛搜集、阅读各种科学报告的文章。

有一天晚上,玛丽指着一篇报告,跟皮埃尔说:“1896 年 2 月,法国科学家亨利·贝克勒尔发现:铀的化合物,能不断地放出射线,和 X 射线有点相似,都同样具有穿透能力,能使照相的底片感光,而且是肉眼所看不见的光线。实在是太神秘了!”

皮埃尔翻阅过资料以后,说:“这就是贝克勒尔的放射现象,亨利·贝克勒尔称它为铀放射线。他是第一位发现放射性的人。”

玛丽说:“如果接着这个放射现象来研究,你觉得可行吗?”玛丽很感兴趣地问。

“嗯,不错,这是个不错的研究题材,可行,是可行的。”

获得皮埃尔的赞成以后,玛丽决心揭开放射性这个秘密的面纱。

玛丽继续不断地阅读相关的文献资料,还发现早在 1895 年的 11 月,德国物理学家伦琴发现了一种眼睛看不见,但是能够穿透物质的射线。因为不知道它是什么东西,就称它为 X 射线,也就是现在我们所说的 X 光。而伦琴这位科学家,也因为发现 X 射线,获得第一个诺贝尔物理学奖。

1897 年,玛丽决定了研究的课题,那就是“对放射性物质的研究”。

在实验研究中,玛丽设计了一种测量仪器,这种仪器能测出某种物质是否存在射线,还能测量出射线的强弱。玛丽在实验中发现:铀化合物放射的辐射强度,和它的含铀量成正比,不会因时间长短而有差异,也不

受外在条件的影响。

她想试试,是否有其他的物质,也能放射这种奇异的射线。因此,她检测了许多种元素,不久发现,钍和铀一样,也具有放射活性。接下来,她对铀矿和钍矿,做一系列有系统的分析测试。

当她测到沥青铀矿时,不可思议的结果发生了:“它的放射性强度,居然比其中所含的铀应具备的放射强度,高出了四倍!”两次、三次……经过多次的实验,最后确定了。

玛丽终于在 1898 年,提出了革命性的实验结论:沥青铀矿中,含有一种数量非常少,放射活性却非常高的未知元素。她征求皮埃尔的意见:“我们把这种会自动放出辐射线的性质,定名为‘放射性’,可以吗?这实在太具有吸引力了,也太具有挑战性了。”

皮埃尔回答:“这样的推测,不但意义非凡,而且十分重要。嗯,我想,我可以协助你,除了去上课,其他的时间……”

皮埃尔还没说完,玛丽紧接着说:“全心全力地,一起工作、一起实验。是吗?”

皮埃尔点了点头,玛丽非常兴奋,两个人牵着的手,握得更紧了。

沥青铀矿,是一种组成十分复杂的矿石。居里夫妇合作,利用它们来分析,探索看看能发出放射能的成分是什么。令他们惊异的是,具有放射能的新元素,竟然有两种。

1898 年 7月,他们终于发现了其中的一个。

“用什么来命名好呢?”玛丽和皮埃尔费心地想着。玛丽灵感来了,忽然说:

“我可以用我祖国的语言,也就是波兰文,来命名吗?”

“你这么爱你的国家,做实验又这么用心,有了初步的成果,用来献给它,也算是你的心意。这么有创意的想法,我为什么要反对呢?”

“我们把它命名为‘钋’，你觉得呢？”

“好，就称它钋吧！”皮埃尔附和玛丽的想法。

钋，是放射性比较弱的一种。除了钋以外，他们对已经知道的化学元素和所有的化合物，进行了一次全面的检查。

最后，获得了另一项重要的发现，那就是一种叫做“钍”的元素，也能自动发出看不见的射线来。

玛丽请教皮埃尔：“我们这样的发现，是不是说明了：元素能发出射线的现象，绝对不仅仅是铀的特性，而是某些元素的共同特性？”

皮埃尔对于玛丽能够从实验中把握住重点感到很高兴。他说：“我们就把这种现象，称为‘放射性’吧！”玛丽也说：“而这种性质的元素，叫做‘放射性元素’，至于它们放射出来的射线，就叫‘放射线’”。

居里夫妇两人就这么决定了。

又经过了五个月时间的不断实验，一种放射性比较强的新元素，又被发现了，他们称它“镭”。

“镭是什么元素？”

“镭的原子量是多少？”

“元素，应该是从外部的放射到物体的内部去，才会发出放射性来的啊！钋和镭并不是这样的。”

“钋和镭可以从它们本身的内部，自然放射出来，产生放射性，简直不可思议。”

当时的学术界，引起一阵不小的轰动。还有科学家说：“原子是不可分割的、无法改变的。”

“各种元素的原子，是物质存在的最小单元。”

最重要的是，谁也没有看过镭，也没有一个人知道镭的原子量。

“世界上不可能有那种没有原子量的元素。”

“要是真的有这种元素，我们倒是想看一看呢！”

玛丽和皮埃尔才感受到一点发现的成就，马上受到了质疑。

皮埃尔安慰玛丽说：

“按照传统的观点，是无法解释钋和镭所发出的放射线。无论是物理学家，还是化学家，对你的研究工作，都感到有兴趣，但是心中难免存有疑问。”

这方面，玛丽也很清楚，她向皮埃尔表示：“我知道，如果没有办法亲眼见到，亲手处理，亲自测量重量，有什么新的元素存在，科学家一定抱持着怀疑的态度。这也是科学的基本态度，不是吗？”

“所以，当别人无法马上相信的时候，也不必气馁啊！”

“我很感谢你，你总是在我失望的时刻，马上伸出援手，拉我一把。”

仓库实验室

为了证实镭的存在，也为了进一步研究镭的各种性质，必须从沥青矿石中，分离出更多的并且是纯净的镭盐。

“沥青铀矿里，有铀也有镭，但是，镭的含量非常微小。”玛丽说。

“没有错，要分解好多吨的沥青铀矿，才能析出几毫克的纯镭，用来测量它的原子量。更重要的是，这种矿物很贵。”皮埃尔的心里很清楚。

“抽取含量稀少的新元素，需要的沥青铀矿，可能花费许多的实验经费，我们恐怕负担不起。”玛丽的确很担心。

既然没有钱购买沥青铀矿，皮埃尔想出了一个方法：“我想，我可以找人帮忙。”

“谁？”

“就是维也纳科学院的院长苏斯先生。”

“他会帮忙吗？你确定？”

“我不确定，但是，试试看，总有希望啊！”

“有道理，至少有一线希望。”

“苏斯院长，请教你，对于已经分离出铀的沥青残渣，你知道，他们通常都是怎样处理的？”

“我找人去问问看，很快会答复你的。”

没过多久。

“居里教授，沥青残渣并没有被销毁掉，而是弃置在森林深处的泥沼。你需要这些沥青残渣吗？”

皮埃尔一听，十分高兴，他请求着：“我和玛丽正在做研究，需要大量的沥青残渣，可是，我们又没有什么钱，我可以拜托你吗？”

“不要这么客气，请问，我能帮什么忙吗？”

“我要请你向奥地利政府提出申请，因为当地的政府许可了，沥青残渣才能运送出来。”

“还有吗？”

“是的，如果你能亲自去看那些沥青残渣，那是最好了。看看能不能说服这家工厂，免费提供给我们做研究。”

“好的，我尽力去办。”

十分幸运地，这家工厂果然把原本堆积在松林间的矿石残渣，免费送给居里夫妇。然后，皮埃尔去找朋友捐款，用来支付运费。终于，一袋又一袋混杂了松针的棕色粉末，被运到了皮埃尔服务的理科大学，就堆在中庭里。接下来，要在哪里处理它们呢？

皮埃尔带着玛丽从实验室的小房间走出去，越过中庭，皮埃尔指着对面那间废弃的仓库，说：“这间仓库，以前医学院的学生，曾经拿来当作解

剖室。你觉得怎么样?”

“没有其他的地方了吗?”

“没有了。”

“好吧,就困难一点吧!至少有一个地方可以做实验。”

玛丽很快就接收了这个仓库。虽然,这里下雨的时候,玻璃屋顶会漏水;出太阳时,又热得像温室,地面铺的还是热腾腾的柏油。他们在这里摆放了几张旧桌子,上面放有烤炉和瓦斯炉。

看着这么多可以做实验的沥青残渣,玛丽冲进实验室里,用手挖起这些“棕色、混合着松叶的土”,凑在脸旁,她激动得不得了,开始了处理残渣的工作。

她把好几磅重的残渣,放进盆子里。

皮埃尔看着身体脆弱的玛丽,十分舍不得:“我看,这个工作需要大量的体力,比较适合工厂的工人来做。你这样做,会累坏身体的。”

“可是,我们目前没有钱可以请人来帮忙。”

玛丽花费了好几个星期,搅拌煮沸的残渣,让它溶解。接下来,开始化学洗涤、过滤和沉淀,最后是分离和测量蒸馏物。有时候,她整天用一支差不多和她一般高的铁棒,搅拌那煮沸的矿渣。到了傍晚,简直累极了。

萃取工作要用到硫化氢,这是一种毒气,而屋内并没有排气管。玛丽于是把盆子搬到中庭去做,要不然,就把仓库里所有的窗户都打开。

滤清后的溶液,放在碗里凝结,这时候,如果有尘埃或煤屑落进去,好几天的辛勤工作就泡汤了。

经过一段时间。玛丽说:“皮埃尔,你有没有发现:只要是极少量的镭,放射性就非常非常强烈?”

“是啊，的确是这样。我们如果要分离出看得见的镭，必须用掉好几吨的沥青铀矿。”皮埃尔接着说：“你不可以再这样做苦力了，瞧瞧你的身体，越来越衰弱呢！”

“我们能找谁来帮忙呢？”

“雇用德比爱纳[1]好了，他是我以前的学生，可以当你的全职助理。怎么样？”

“当然好，实在太感谢你了。”

又经过一段时间的研究，皮埃尔觉得要分离找出镭的工程，实在太繁重，这几乎是不可能完成的任务。

“好像没有想象中的容易，玛丽……”

“不要害怕，一定可以解决的，我们一起来克服困难吧！”

困难是什么呢？

困难是，这样的实验，需要投入许多人力，需要花费许多金钱。

“既然你这么坚持，我们就继续吧！”

皮埃尔被玛丽的决心感动了。

这个时候，德国、加拿大、英格兰、奥地利这些国家的科学家，纷纷表示要这些高放射性的原料。

机会来了。皮埃尔跟一家化学产品协会的老板说：“这样好吗？我们来个条件交换。”

“什么样的条件交换？”

“有钱出钱，有力出力。”

“可以说清楚一点吗？”

“你出钱，支付我们研究人员的薪水，我们提供你要的放射性物质，

1 德比爱纳在1898年发现一种放射性很强的元素，他命名为“锕”。这是一种很少用到的元素，因为它非常罕见。

互惠互利，可以吗？”

“这样合理，其他的详细再谈好了。”

于是，玛丽的研究助理——德比爱纳，还有其他需要雇用员工的薪水，由化学产品协会赞助；玛丽的研究室，就提供部分放射性强的蒸馏物，当作交换的条件。

这么一来，化学产品协会还可以转卖给急于购买的科学家。

“皮埃尔，我们在放射性物质的研究上，好像孕育了科学运动。是不是这样？”

“当然了，想想看，有这么多国家的科学家，都争相要购买这些放射性强的蒸馏物，当然也是想做实验啊！”

“实在太棒了，都是你去协商的成果。”

因为有了化学产品协会的帮助，玛丽的分离程序已经升级到工业生产的规模。德比爱纳负责管理和运送，在他有效率的管理下，不到三个半月的时间，协会的工厂就已经处理了一吨的沥青残渣，也用掉了数不清的酸剂、盐和水。

而每吨的沥青残渣，需要使用50吨的水来冲洗，制成放射性比铀强50倍的溴化物，然后由玛丽接手，一次处理20公斤的原料，皮埃尔从旁协助，进行分馏和测量，最后才制作出放射性越来越强的镭。

虽然工作的过程一成不变，也需要耗费大量的体力，玛丽却觉得十分快乐，而且称这段时间是“辉煌时期”。她说：

“工作环境是不好，但我们很快乐。我们成天待在实验室里，吃着简单的午餐。破旧的仓库实验室充满了平静的气氛。”

居里夫妇经常在晚上携手穿过五条街，走回实验室，他们被心目中浪漫而神秘的元素所深深吸引。

玛丽问：“我在想：它到底长什么模样？”

皮埃尔回答:“我希望它有美丽的颜色。”

他们的感情,因为浪漫的镭而更加亲密。心思细腻的女儿伊莲这样描述:“实验的时间,从几天,转变成几个月,甚至好几年。爸爸和妈妈没有气馁,这个不停抗拒的神秘物质,使他们深深着迷。他们的柔情,他们对知识的热情,将两个人结合在一起。在这个破旧的仓库里,他们的生活是命中注定的,也是违反自然的。”

玛丽觉得她和皮埃尔之间,根本不需要言语就能了解对方的想法。她在写给姐姐布罗妮雅的信上,说她嫁给全世界最棒的男人。

在实验室里,两人擦身而过时,皮埃尔会摸摸玛丽的头发;玛丽因为太过紧张,把蒸馏物打翻在地上,这个蒸馏物是花了三个月的时间才产生的,皮埃尔不但没有责怪她,还不断地安慰她。

玛丽和人争辩镭的光谱线时,犯了错还执迷不悟,皮埃尔让她冷静下来,温柔地说:“好啦,玛丽。”

这些林林总总的相处,都印证了她对布罗妮雅说的话。

寻找镭的研究工作,在不知不觉中,迈入了第三年。他们已经处理掉了8吨沥青铀矿残渣、400吨洗涤水,经过数千次的化学处理和蒸馏。

1902年的7月,玛丽在简陋实验室进行的工作,进入了第四年。她又分馏了一次,再度测量这些物质的放射性。她想出来一个方法:镭盐在结晶体里会浓缩,每结晶一次,镭便愈趋纯化。最后,她终于从钡中析出镭。

这一年的年底,居里夫妇终于从10吨的沥青铀矿中,提炼出了0.1克的镭,是非常纯净的氯化镭,并且准确地测定了它的原子量。

从此,镭的存在得到了证实。

闪亮的镭

在仓库实验室里，分离出来的物质都排放在桌子上，或是木板上。

一天晚上，皮埃尔和玛丽特地从家里回到实验室。

“你看，它们发出的微光，好像悬浮在黑暗中的幽灵之光。”玛丽发出赞美的声音。

“我从这个角度来观赏。”皮埃尔在桌子的这一边。

“我从这个角度来观赏。”玛丽在桌子的另外一边。

“美极了！”

“太不可思议了。”

“好像是淡淡的小精灵之光呢！”

而事实上，你知道吗？居里夫妇看到这些微光的时候，放射性原子正在释放能量。

当时，居里夫妇只是沉醉在他们发现的新元素里，并不知道暴露在这些物质之下，是会影响健康的。[1]

镭被皮埃尔和玛丽形容是：好像悬浮在黑暗中的幽灵之光。又是：好像是淡淡的小精灵之光。

的确是这样。

美国有一位知名的女舞蹈家，名叫富勒。

富勒的表演，喜欢运用精心组合的灯光，所以有“光的精灵”之称，她的演出十分受欢迎。富勒在巴黎表演的时候，玛丽正好在报纸上发表了一篇文章，里面提到镭会在晚上发光。富勒便写了一封信给居里夫妇，请教他们，是否可以把镭披在身上，让她全身闪闪发光？

---

1 在一个世纪以后，居里夫妇的私人物品、衣服和纸张，经过测试以后，都还含有辐射。

皮埃尔·居里很客气地回了一封信，简单地告诉她有关问题。

很有舞蹈创意精神的富勒，从回信中稍微了解了镭。这给了她美妙的灵感，于是设计了一套舞台服装，那就是：把磷光颜料涂在华丽的舞台上，以便显现光的效果。这样的设计演出，剧场爆满，盛况空前。她把这个成功，归功于居里夫妇。

“十分感谢，这都是你们的科学智慧。”

“不客气，是你的创意设计成功。”

为了报答居里夫妇的协助，舞蹈家选择了一种高雅的回报方式，她说：“我愿意到贵府去表演，可以吗？”

“欢迎，欢迎！我的家人，以及我的朋友，一定很高兴来欣赏的。”

那天晚上，从美国来的电工，把皮埃尔家里的饭厅，布置得和真的舞台一样，闪闪亮亮。在电灯全部熄灭以后，一只翅膀上闪烁着蓝白磷光的蝴蝶，随着美妙的音乐，在花丛中飞舞着。

前来观赏的嘉宾都看得目瞪口呆，忍不住大声喝彩；居里夫妇和他们的女儿伊莲也显得很开心。

玛丽在她的研究论文里是这样写的：“镭，并不是人类第一个发现的放射性元素，但却是放射性最强的元素。”

“如果能利用镭的强大放射性，应该可以进一步查明，放射线还有许多新性质。”

“镭，确实是一种极难得到的天然放射性物质，它的形体，是有光泽的、像细盐一样的白色结晶。”

“在光谱分析中，镭和已知元素的谱线，都不相同。”

1903 年，玛丽因对放射性物质的研究，得到了博士学位。

玛丽和皮埃尔经常对论文提出讨论。

“到底这篇论文，有什么特别的观点？”

“你是说,我们怎么让以前怀疑我们的科学家心服口服,是吗?”

皮埃尔点了点头,有点像是口试教授,正在测试玛丽呢!

“辐射是可以加以测量的,并且作为发现新元素的方式。这点我十分肯定。”

“还有呢?”

“辐射是一种原子性质。”

“原子性质是指:元素的物理或化学性质,例如:可燃性、延展性或导电性等。这也是原子的一种特性。”皮埃尔帮玛丽补充说明。

玛丽的论文,真的具有很大的影响力。因为这个研究结果带来了发现新元素的方法,就是:借由测量物质的放射性,来发现新的元素。

这大大开启了原子科学的大门。

诺贝尔奖

1903年的12月,瑞典皇家科学院的诺贝尔奖评审委员,仔细审查研究的资料,也慎重参考了国际间知名科学家的意见,最后做了以下的宣布:“就这么决定了,居里夫妇和亨利·贝克勒尔,三个人共同获得今年的诺贝尔物理学奖。”

“这是公平的,因为,亨利·贝克勒尔发现的贝克勒尔射线,带给居里夫妇研究的灵感,才能让他们发现辐射的新元素——镭。”

这个天大的得奖消息传到皮埃尔家里。

玛丽感冒卧病在床,她虚弱地对皮埃尔说:“终于有了成果,真是令人兴奋啊!”

邀请参加颁奖典礼的喜帖寄来了。

玛丽身不由己地说:“我恐怕无法前往瑞典领奖,这个不听话的身体,哪里忍受得了长途跋涉?”

“好吧!还是在家好好休息。就由法国公使,代表我们参加颁奖典礼。”

温柔体贴的皮埃尔,一点都不在乎这个热闹的场面。

皮埃尔和玛丽没有亲自前往领奖,但是,各国的报章杂志,却争相报导他们发现镭这件事情:“诺贝尔这次奖励的研究成果,是一对夫妻在一间无比简陋的仓库里完成的,多么神奇!”

“这是第一次,获得者中有一位女性!是一位体弱的金发女子。”

“他们发现的镭,是前所未有的神奇物质,可以救人。”

媒体的力量可真大,从世界各地,也拥入了成千上万的信件,都是想请教他们有关镭的秘密。

就这样,居里夫妇在一夜之间,成了家喻户晓的知名人物。

1904年1月,诺贝尔奖金从瑞典寄来了。

“我们的生活,总算可以改善了。”皮埃尔笑着说。

“至少,我不用再愁没有钱了。”玛丽有些感慨。

“我可以辞去教书的工作吗?”

“好啊!这样,我们就可以一起专心地做研究。”

“在华沙开设疗养院的姐姐和姐夫,他们本着为穷人服务的宗旨,经营得很辛苦。我们汇一笔钱过去吧!”

“这样可以表达我们的心意,当然好了!”

“还有吗?皮埃尔?”

“我们还可以把一部分的钱,捐给三个科学学会。”

“我赞成,他们经常会有经费上的困难,应该支持。”

对于在他们研究室工作的波兰留法女学生,以及自己任教班级里清

寒而又优秀的学生，也都得到奖学金。

除此之外，玛丽·居里还写了一封信，给在华沙时候的恩师，郑重地邀请他来法国一游。

敬爱的桑多潘老师：

或许，您已经不太记得我了，我是玛丽·斯卡洛多斯卡。我十四五岁的时候，曾经在华沙跟着您一起学习法语，您亲切的指导，让我终生难忘，老师您的谆谆教诲，使我一生受益无穷。

随函寄上的钱，虽然微不足道，希望老师能利用这笔钱，到巴黎来。

我们的生活一向清苦，这次出乎意外地获得诺贝尔奖，想借此表达对老师的敬意和谢意。如果老师能到巴黎来，我不知道会有多么高兴！期盼老师的到来。

学生玛丽敬上

玛丽的老师，果然从华沙来到巴黎作客。玛丽和皮埃尔带着老师，在巴黎四处参观、游览，玩得非常尽兴。

得奖以后，皮埃尔家里，每天都收到来自各地的信件，其中一封来自美国水牛城的信，说当地的一些工程师要开一家镭制造厂，请求他们提供数据。因为萃取和纯化镭的技术是玛丽发明的，制造一克的镭，需要75万法郎，如果他们申请专利权，以后全世界所有镭的制造厂都要付给他们专利费，这样一定可获得一笔为数相当可观的财产。

经过一番思量，玛丽平静地说：“亲爱的，能过富裕而舒适的生活当然很好，可是，我们并不是为了享受才做研究，对不对？”

“当然。镭的研究，比我们当初所想的更重要，尤其在癌症的治疗方面，更是不可缺少。”

玛丽点点头："如果申请专利，我会良心不安。这么重要的东西，我们不仅不该独占，还可以向全世界公开镭的秘密，你觉得呢？"

"你的观点很正确，这应该就是我们共同的看法，以后只要有人向我们询问，我们都会告诉他。"

由于居里夫妇毅然放弃由镭致富的机会，毫不犹豫地将研究成果贡献给全世界，镭的相关工业很快就扩展到全球各个国家。

拥有盛名

"皮埃尔，你看，今天的报纸上，又有你的漫画了。"玛丽拿起报纸，走向正在吃早餐的皮埃尔。

"我看看！"皮埃尔站起来，走过去拿起报纸。

"什么漫画？我又不是珍奇的怪兽，画成这个样子，我很讨厌。"

"我看啊！现在，我们都成了动物园里的珍奇怪兽了。"

"你这个形容很贴切。"

"不论我们在哪里，都会被人群团团围住。"

"实验室、家里，都成了动物园。"

皮埃尔和玛丽用过早餐以后，和女儿伊莲一起玩，他们的谈话内容，还是忍不住要围绕在这个话题上。

"他们都是要来拍照的摄影记者，要来报导我们做实验的故事。这是他们的工作吗？"玛丽看了看伊莲。

"应该是对我们很好奇吧！"皮埃尔也看了看伊莲。

"我们简陋的仓库实验室，好像让许多人觉得很不可思议。"

"是这样没错，可是我们就像失去自由的人，我很不能适应。"

“我不但不习惯，还很害怕。我很怕镁光灯对着我，闪啊闪的。”

“不只我们，女儿和小猫咪，也都成为记者质问的对象，实在恐怖！”

实际情况就是这样。

皮埃尔和玛丽的仓库实验室，现在是全世界报纸报导的对象，各种各样的好奇人士都慕名前来，还包括法国总统卢贝在内。

记者们形容他们在凯勒曼大道上的家，是这样的：洋溢着两位伟大科学家亲密之情的可爱房子。

《巴黎之声报》刊出了皮埃尔的漫画。

还有酒馆推出来的表演节目，演出他们两人匍匐在地上，寻找细密的提炼过程中不慎遗落的镭。这也让皮埃尔和玛丽感到震惊！

除了受到记者们的采访，使他们感到困惑，还有许多的单位，来邀请他们去参加各种活动。

玛丽说：“我们像不像金鱼缸里的两条鱼，皮埃尔？”

“硬生生地被人抓出来。”皮埃尔接得很好。

这时，玛丽大声地叫着：“我不想参加宴会。”

“我不想去美国。”

“我不想去参观汽车展。”

“我不想去观赏新戏彩排。”

“我不想对第一届龚古尔文艺奖发表意见。”

“我不希望有一匹赛马取玛丽的名字。”

“我不想照片被刊登出来。”

“真是没想到，得奖会有这么多的困扰。”皮埃尔显得很无奈！

“现在，唯一的方法，就是多种些美丽的花，可以让我们开心些。”玛丽冷静了下来。

面对这些突如其来的种种，居里夫妇极力想要在周围筑一道城墙，却无法如愿。看来，他们得花些时间、花些精神，才能逐渐适应。

在获得诺贝尔奖一年以后，玛丽又害喜了。这次的怀孕和以前又不一样。

“喔！我变笨了，一天到晚不是吃，就是睡。我喜欢吃美食，根本不再去想什么物理、什么化学，还是放射性之类的事情。”

这样的害喜现象，可吓坏了皮埃尔，他显得彷徨无助，好像生命的源泉被切断一般。

“她是怎么啦？”皮埃尔喃喃自语地问着。

“没什么，没什么，只不过是怀孕了。”玛丽慵懒地回答。

虽然玛丽全心呵护着胎儿，但是，内心深处还是十分恐慌。

“布罗妮雅，求求你，过来帮帮忙。”姐姐被吓坏了，很快就赶了过来。

“怎么啦？玛丽。”

“哦！我需要你这个大救星。”

布罗妮雅是医生，一看就知道玛丽的病状。

“害喜的妈妈，不要想太多了。我会做好吃的东西，把你喂得饱饱的。”

“一人吃，两人补。”皮埃尔在旁边补上一句，大家都笑了起来。

“不会只有玛丽吃，当爸爸的，也要吃。”布罗妮雅看着皮埃尔，又说：“别看玛丽好像很坚强，内心其实是很脆弱的。”

“这点我知道。不过，你来可以帮助她重新建立自信心和安全感。感谢你呢！”皮埃尔同意布罗妮雅的说法。

经过布罗妮雅细心的照料，玛丽害喜的情况好转了。

终于，玛丽生下了一个漂亮的女儿，取名艾芙。

大家都欣喜不已，几周以后，玛丽便恢复了健康，也重新对生命充满了信心和热爱。

玛丽一早起来，和普通的妈妈一样，照顾孩子，整理家务。

她又回到学校教书了，把原来的工作室，逐步整理成实验室。

“我也需要休假。皮埃尔，我们去哪里呢？”

“我们离开城市吧！像以前一样，去骑脚踏车，去闻乡间花草的芬芳。”

“太好了，我们好久没有去接近大自然了。多么令人怀念的一段时光啊！”

一段时间以后，他们逐渐回复正常的生活；他们的生活，也在不知不觉中有了改变。

他们较常在戏院露面。巴黎人穿着晚礼服，参加夜间的活动，他们就用长柄望远镜，观看皮埃尔那件不成样子的外套，以及玛丽一成不变的灰色衣服。

皮埃尔对通灵术感兴趣，而通灵术现在成为巴黎的时尚。X 光的发现，让人们对肉眼看不见的事物，产生了无限的遐思。

当时，有一位著名的灵媒，名叫芭拉狄诺。

有一天晚上，皮埃尔和他的朋友皮兰，见到这位美丽的女巫。

她坐在这两个男子中间，右脚放在一个人的左脚上，左腿放在另一个人的右腿上，然后，把灯全部关掉。

这时，出现了一种“心灵波”。这心灵波先扫过皮埃尔的脸，再扫过皮兰的脸。就在大家感到新奇的时刻，不知道谁打开了灯。

原来，芭拉狄诺趁两人不注意的时候，神不知鬼不觉地，用什么东西压住鞋子，自己则溜到一旁，正在对空挥舞着棉围巾呢！

居里夫妇也出现在一个沙龙里，这个沙龙被视为当代绘画的神圣殿堂。大雕塑家罗丹的知名作品“沉思者”，那时正在展出，玛丽十分欣赏罗丹，常常去他工作的地方探望他。

居里夫妇的交游圈里，出现了一对夫妻，那就是杰出的数学家波莱尔先生，以及外表活泼、有时显得冒失的小妻子玛格丽特。他们经常到居里夫妇家作客。

波莱尔长得英俊，有一头黑发，他经常和一些数学家、物理学家和化学家等相聚在一起，一边吃着蛋糕，喝着啤酒，一边讨论科学上的问题，彼此交换意见。

小玛格丽特不是学术上的人物，因为长得漂亮，喜爱卖弄风骚，到处招蜂引蝶。她在这一群科学人中间，像个美丽的小天使。男人们晚上到补习班去上课，她也跟着去。下课以后，他们会在教室后面的厨房和学生聊天。

这些学生里面，总是有几位没戴帽子的女工，平常地位比较低；玛格丽特也不看轻她们，还懂得倾听她们说话，就这样博得了别人的信任，好让她们能在她面前吐露心声。

连平常不喜欢和人家闲聊、闲扯的玛丽，也和这个乖巧的小人儿成了好朋友。

玛格丽特对她的朋友说："当我们一群人聚在一起，有时候，居里夫妇幽灵般地溜进来。居里先生不太说话，居里夫人看起来年轻又迷人。在别人谈论科学问题时，她偶尔会插嘴，长篇大论地发表意见。他们这对夫妇摄住了我。"

后来，玛格丽特成了女权运动者，还创办了一份刊物，特别邀请玛丽为她撰稿。再后来，她也写小说，拥有不少读者。

他们真的成了朋友。

有一晚，波莱尔夫妇和居里夫妇在戏院相逢。

这天，上演的戏剧很有名，玛格丽特十分兴奋，絮絮不休地谈论着剧中的女主角。玛丽觉得很好玩，轻轻地在她的额头上亲了一下。

玛格丽特受宠若惊，60 年后都还记忆犹新，没有忘记在她的回忆录

上为这件事情提上一笔。

波莱尔夫妇有气势、有风度，广结善缘，而且个性强，勇气也够。后来，在皮埃尔过世以后，他们都还帮过玛丽的忙。

皮埃尔车祸

1906 年 4 月 19 日，星期四，是个阴雨绵绵的日子。

虽然已经是春天的 4 月，雨，却像冬天那般湿冷。

一大早，皮埃尔匆匆忙忙地正要出门，玛丽跟平常一样，拉拉他的衣领，关心地问着："今天忙些什么?"

"今天的行程十分紧凑。先参加索邦大学科学部的午餐聚会，再顺道去出版公司一趟。"

"哦，你的那篇文章要校对了。然后呢?"今天的玛丽，好像显得有些唠叨，每一个细节都想问清楚。

"从出版公司出来以后，还要去科学院，参加一项会议。"皮埃尔对玛丽的问话，丝毫没有显出不耐烦，他轻轻地吻了一下玛丽的脸颊，回报她的关心。

"今天下雨，你要特别注意安全啊!"玛丽最后才挥挥手，把门关上。

中午的时候，雨停了。

皮埃尔沿着大马路，走到出版公司门口，才发现门锁住了，是印刷厂的工人罢工。他转个弯，向科学院的方向走去。

雨又下起来，他撑起伞。

街道又狭窄又拥挤，他从一辆出租的马车后面，跨到马路上来。不到十秒钟的时间，他的头，便撞在泥泞的路面上。

原来，有一辆双马货车，和那辆出租马车迎面擦身而过。

车夫只见一个黑衣男子手持雨伞，突然出现在左侧的马前。皮埃尔就是那黑衣男子，被马一撞，摇摇欲倒，他急忙伸手去抓马甲，却被雨伞勾住，滑倒在两匹马中间。车夫极力地挽住马车，但是，马车有五公尺那么高，车上还载着军事装备，他收不住，左后轮撞上皮埃尔的头，撞得粉碎。

人群拥了上来，七嘴八舌地指责那位撞人的车夫，车夫吓坏了。

另外有些人说，他们看见是黑衣男子莽撞地冲出来，才会导致不幸的车祸。

争执的双方，还扭打了起来。

这时，警方迅速赶到现场，跟着运来了一个担架，他们把这名黑衣男子抬到最近的警察局。

警察从他的口袋里，找到了写着科学部地址的邀请函，上面写着的，是赫赫有名的皮埃尔·居里的名字。

警局里的一位督察打电话到科学部去。

在警察局外面，“皮埃尔·居里给货车撞死了”，这个风声很快传了出去。

围观的人群十分愤怒，恨不得把车夫撕成碎片。警方把车夫带走，连同马车和那对焦躁不安的马。车夫坐在警察局里的长椅上哭泣。旁边的一位医生，在拼凑皮埃尔的头骨，并且清洗他的脸部；他的面孔虽然有污泥，却完好无损。

最先从科学部赶来的人，是皮埃尔以前的实验室助手科拉克，他看到那碎裂的头颅，忍不住掉下眼泪。但是，医生很快就用绷带把头骨绑好。

“你确定他就是居里先生吗？”督察问科拉克。科拉克点了点头。督察立即打电话通报内政部长。

总统府派人去居里先生家找居里夫人，女仆说夫人还没有回家。

第二次门铃响，老居里医生亲自去应门。他看到皮兰和科学部主任艾培悲伤的脸，什么也没问，便说："我儿子死了。"

他们跟他叙述事件发生的经过，老医生镇定下来，喃喃自语地说：

"这次，你又是在梦想些什么呢？"

玛丽那天回家比较晚。她用自己的钥匙开门，一走进去，便看到皮兰、艾培和老医生在那儿等她。他们轻描淡写地说明事故。

玛丽吓呆了。过了一会儿，她问："皮埃尔死了？是真的吗？"

"是的，皮埃尔真的死了。"

她的脸色苍白，默默不语。

"要不要找人验尸呢？"

"不要。"

"要不要把皮埃尔的遗体运回家中？"

她点了点头。

救护车把皮埃尔的尸体运回来了。

早上微笑出门，挥手说再见的情景，在玛丽的脑海中挥之不去。她难以面对这样的丈夫：头绑着绷带，直挺挺地躺在担架上。

接着，钢笔、钱包，以及研究室的钥匙，也都被送回来；手表没有破，还滴答滴答地走着……玛丽弯下身去，轻轻吻着皮埃尔的脸颊和双手；默默地注视着皮埃尔头部的绷带，早就被血染红，他的神态却很安详。

"亲爱的，你难道没有什么话要跟我说吗？"玛丽的心，痛如刀割，天人永隔的问话，皮埃尔还听得到吗？玛丽的脑海里，突然闪过一个对话："我们之中，如果有一个死了，另一个也活不下去。"如今，却面对这样的局面。11 年的婚姻，竟在刹那间画下永远的句号，真是叫人情何以堪！

玛丽领着救护车的工作人员，把担架抬进底楼的一个房间，看着他

们把尸体抬出来，放进房间的角落。当所有的人都离去以后，她把门关上，单独留在房里，她需要和他单独相处。

第二天早上，不断有人来探望。慰问的电报，从全世界的各个角落，像泉水般涌来。面对堆积如山的信件，玛丽决定提前举行葬礼。

皮埃尔是星期四下午过世的，星期六早晨就安葬了。葬礼十分简单，也很隆重，在场的只有亲人和几个朋友。

一切都是那么突然，那么令人措手不及。

葬礼结束以后，玛丽孤独的影子，照射在夜深人静的书桌上。她坚强的外表下，隐藏着多么脆弱的心灵！她需要在孤灯下，透过日记和亲爱的皮埃尔对话，用来纾解内心无限的痛苦。

亲爱的，吊唁电报、信件，陆续从各地寄来；报章杂志，也天天在报导你的事迹。任何的劝慰，再多的悼念，都只是徒增我的哀伤罢了，永远也唤不回你的生命啊！

在棺木中，我放了一张我和孩子们的相片，以及院子里的一枝夹竹桃。皮埃尔，你所喜爱的夹竹桃还没开花，实在遗憾啊！

你为了申请研究费的补助，为了要加入学术会员的行列，多次遭到法国政府当局和大学教授的拒绝，可是，现在他们却都表示歉意。他们还想在葬礼前，举行追悼演讲会，我已经恳辞婉谢了。我知道，不论他们如何颂扬你，你的灵魂也不会高兴的。如果在你生前，政府答应你的请求，那么，你短暂的一生，也许会有更了不起的成就。

现在，一切都太迟了，你再也不会回来开启研究室的门了。啊！皮埃尔，我所敬爱的丈夫，我最亲切的老师，现在，你把艰难的研究交给了我，我该怎么做才好呢？请求你在天之灵，给我更多的勇气、更多的毅力，来完成它。

我依照你生前的意思，葬礼简单，只让最亲近的人参加，只是，教育部长执意要送你,他还一直送到墓地。这是历代居里家的墓园,你就葬在母亲的旁边,而你的旁边,就是我将来要葬的地方。最后,我在你的棺木上,撒了许多的花朵,希望你会喜欢。虽然永别了,但是,你会一直在我心中,给我希望;我相信,你一直都会默默地陪伴着我。是吗,皮埃尔?

葬礼结束以后,玛丽到皮兰的家,看见七岁的伊莲正和皮兰的女儿阿玲玩。玛丽把伊莲拥进怀里,轻轻地告诉她:"爸爸离开我们了。"伊莲没有说什么。等到妈妈离开以后,她才放声大哭:"妈——"

玛丽在她的灰色笔记本上,写着:"伊莲在家里大哭了几场,然后,她出去找小朋友玩,想忘掉这件事……现在,她好多了,已经不太提起这件事了。"

"约瑟夫和布罗妮雅来了。他们真好。"

"大家谈论不休,而我心中只有皮埃尔,皮埃尔却躺在死亡的床上。"

未来的生活该怎么办呢?

皮埃尔的朋友说:"发起募捐吧!这样可以解决你们目前的生活问题。"玛丽拒绝了。

政府部门通知雅各布·居里,说玛丽可以获得国家抚恤金。玛丽也拒绝了。

"皮埃尔原来拥有的普通物理学讲座的职务,如果玛丽愿意,她可以接任。"经过一番讨论和沟通,索邦大学的科学部,终于提出这样的邀请。

玛丽点头同意了这项邀请。

7月,皮埃尔过世已经三个月了。

玛丽挥别了阴霾,重新回到生活的正常轨道上。前来参加葬礼的哥哥约瑟夫觉得他可以放心回波兰去,姐姐布罗妮雅也准备离开。

就在布罗妮雅要离开的前一天晚上,玛丽请她进入卧室。天气十分闷热,壁炉内却火光熊熊。

“玛丽,你在做什么?”

“姐姐,这件事,我只让你知道,你可不能说出去。”

玛丽从壁橱里取出一个包袱,把绳带剪断。

“啊!”布罗妮雅尖叫一声。

包袱内是血渍斑斑的衣裤,那是皮埃尔惨死当天穿着的。

玛丽一言不发地把它们剪成碎片,一片一片地放进壁炉中。染有血渍的布片,在炉火中蹿起火舌,化成灰烬。

“让所有的哀伤,所有的悲痛,都随着火焰消失吧!请赐给我更多的生活勇气。”坚强的玛丽,再也忍不住了,她抱着布罗妮雅,失声痛哭。

布罗妮雅了解玛丽的心情,她搓搓玛丽的头发,缓缓地说:“玛丽,一切都过去了。勇敢地面对未来吧!”

布罗妮雅离开巴黎以后,玛丽经过慎重考虑,她在巴黎市郊,租了一幢有庭院的房子。

他们还没有结婚时,皮埃尔就住在这一带,他的坟墓也在这里。虽然从这里到大学实验所,要搭半小时的火车,可是,孩子们在这里可以更接近大自然,她也可以离开以前的生活圈。

玛丽带着七十九岁的老居里医生、伊莲和艾芙等家人,展开崭新的生活。

继续研究之路

1906 年 11 月 5 日，下午一点三十分，是第一节物理课。

玛丽一大早就到皮埃尔的坟前，她放好一束鲜花，轻声地说：“今天下午，我要到学校去接任你的课。为了不损害你的名誉，整个暑假，我拼命地准备。我有些担心，人们是否能接受女性讲师？请你为我加油，给我力量，我会尽力做好，维护诺贝尔得奖人的荣誉。”

中午，人群开始向索邦大学拥去，大家聚集在门外的广场上。到了一点钟，物理教室的门才打开，人群立刻蜂拥而入，门，马上又关了起来。这是女性大学讲师的第一节课。大约有 15 名学生到场聆听这场重要的演出；可是，名媛贵妇、艺术家、摄影记者和波兰移民，这些民众，竟然比学生还多。

玛丽婉拒了校方对她的介绍，时间一到，她悄悄地溜进教室。

她把讲义放在桌子上，两手交叉，微微地向听众一鞠躬。

这时，台下的听众，热烈地鼓掌。她低眉深呼吸，等待掌声停止，开始了她的讲课："在物理学领域，这十年来所达成的进步……" 她以沉着、坚定的声音，从皮埃尔的最后一节课开始讲起。

这节课，讲的是有关原子分裂、放射性物质的新学说。

她讲完课，掌声如雷。她收起讲义，又溜走了。

这时，距离玛丽从波兰来到巴黎，踏进这个校园，已经是第15年。15年的时间，变化真大，也很戏剧化。

"每一个人，都被这穿着黑衣服的瘦小人儿，深深地吸引住了。"

"她奇异的脸庞，看不出年龄，明亮而深邃的眼眸，好像阅读太多，或是哭泣太多，显得有些疲惫。"

"这是女权运动的一大胜利，女性只要肯努力，也可以这样出现在大学殿堂上当老师。"

多么成功的一节课，不论是在现场的人群，或是新闻报导，玛丽得到的都是正面的好评。学校对她的学问，也深表敬意。

玛丽正式开始了大学的物理课。除了上课，玛丽还必须到实验室去，有一批研究人员等着她去指导。

美国钢铁大王安德鲁·卡内基先生，经营钢铁工业赚了大钱，他自己的生活很俭朴，却很热心资助各种研究。皮埃尔过世以后，安德鲁·卡内基先生在巴黎见过玛丽，他跟朋友说："我很欣赏她的沉静。她可能需要研究经费。"

"我可以过去和她谈一谈。"

经过深入的了解，钢铁大王发现，玛丽的生活也很俭朴，研究的目标很明确，决定在金钱上给予资助。他捐出了一大笔钱，成立"居里基金会"。

玛丽有了资金，研究室的设备更新了，她增聘了研究助理，亲自训练新一代的研究人员，"居里实验室" 有了新面貌。

“德比爱纳,你认为我们的实验室,要有怎样的面貌?”玛丽征求德比爱纳的意见。

“我们的实验和研究,应该把重点放在医疗、生物和工业上。”

“你说得对,如此才能为人类带来和平的利益。”玛丽又说:“我也希望辐射这门科学,可以在这里发展。你觉得可行吗?”

“当然可行啊!”

“我们研究辐射,才能控制辐射的用途。”

“皮埃尔生前的警告,是怎么说的?”德比爱纳忽然想起了一件事。

“我永远都不会忘记的,那就是:如果辐射物质落入坏人手中,可能导致极大的毁灭。”玛丽回答了德比爱纳的问题。[1]

实验室的研究员工共有20多个;另外,还有20名没有领薪水的女性科学家。玛丽和研究团队不断地讨论一些问题。

“研究辐射时,如果无法将放射物质分离出来……”德比爱纳还没说完,就有人接着这么提出问题:“怎么能确认它的存在呢?”

“怎么计算它的能量呢?”

“我们就把这个分离的挑战,称为‘隐形化学’吧!”玛丽下了一个结论。

玛丽的研究团队,在德比爱纳的协助下,除了镭以外,也研究钋。经过一段时间,他们研究出镭的原子质量。玛丽决心要证明镭的独特性,为了消除疑虑,她要把镭制成纯金属,让化学家亲眼看得见、摸得到。

之后,她又订定镭的计量标准,并且获得国际上的认同。

1910年,玛丽发表两册的《论辐射》。

---

1 居里实验室,后来成为生产和验证镭的顶尖机构,服务对象包括工业界、医疗、个人、政府部门等。

再次获奖

1910年9月，玛丽在比利时布鲁塞尔，参加放射学的会议。

玛丽提出建议："我们应该建立镭的放射性标准。"

"对，因为对放射性研究和辐射治疗都是必须的。"一位专家认同这个构想。

经过一番热烈的讨论，大会的主席报告："我正式宣布，大会通过镭的放射性单位，叫做'居里'，是用来纪念皮埃尔·居里的。"

主席还说："大会也决议，关于制定镭的标准，由玛丽·居里负责。"

这时，掌声突然响起；玛丽虽然有些意外，还是很有礼貌地站起来，向大家点头表示感谢。

这时，更意外的事情，也发生了。一封电报传到了玛丽的身边。玛丽也很意外，有些不知所措，旁边的一位科学家朋友，探过身来，和她一起拆开这封电报。

"啊——"玛丽简直吓呆了。

她把电报转给科学家朋友，"啊——"科学家朋友一看，也惊叫了起来；他很快地把这封电报，递给了大会主席。

"注意，注意，这是天大的喜讯……"大会主席用高昂的声音宣布，一时之间，会场都安静了下来。

"什么是天大的喜讯？"大家的心里感到很疑惑，赶紧拉长耳朵来听。

"玛丽·居里，她获得今年诺贝尔化学奖……"话还没讲完，掌声再次响起，而且持续很久很久。

接着，大家都站起来，离开了座位。

"恭喜！真是太难得了。"

“恭喜! 这是第二次呢!”

“恭喜! 这可是你单独得奖哦!”

恭喜之声,不绝于耳,玛丽在来自各地的顶尖科学家之间穿梭,会场洋溢着一片喜气。玛丽这次得奖的理由是:“制造纯钋和镭的样本,确定它们的原子量,并经由其他科学家证实,以及她将镭制成纯金属的壮举。”

一生中荣获两次诺贝尔奖,真是史无前例。经过四年的努力,终于开花结果。

这年,玛丽四十三岁。

“布罗妮雅,我要出远门,你可要陪我去哦!”玛丽需要姐姐的随身照顾。

“当然,我很荣幸去和你分享得奖的喜悦。”

“妈,我可以跟着去吗?”伊莲也很想去。

“可以,可以!”玛丽欢喜地点头同意。

玛丽在姐姐和女儿的陪同下,前往斯德哥尔摩,参加颁奖典礼。

三个人坐在车上。玛丽望了望两位最亲密的家人,心里感到知足又快乐。她问伊莲:“伊莲,你在想些什么?”

“妈,我想您是世界上最伟大的妈妈。”

玛丽拍拍伊莲的肩膀,伊莲继续说:“我想到您夜以继日的研究,现在,终于得到了最高荣誉。我要以您为榜样,我希望以后也能够获得这样的奖。”

玛丽的内心百感交集,她说:“伊莲,如果你够努力,我就会把研究的接力棒交给你传承下去。但是,前提是你要够努力才行啊!”

“妈,我会的,我永远都会以您为榜样,我不会忘记的。”

玛丽对于伊莲认真的说话，感到很欣慰。

布罗妮雅回想起有关玛丽的事情，忍不住说："玛丽，得奖的背后，有许多的努力过程，对不对？"

"嗯，我知道。"

"想当年为了帮我筹措学费，你做了那么多的牺牲，真是太委屈你了。"

"我到巴黎，也都是你和姐夫在照顾我啊！真是感谢你们。"

身体虚弱不堪的玛丽，这时闭起了眼睛。皮埃尔的身影，马上就在眼前出现。

"你是来和我一起分享荣耀的吧，皮埃尔？"玛丽轻轻问着皮埃尔，拭去眼角的泪水，张开眼睛，望向窗外。

终于，到了领奖时刻。

接过奖杯，玛丽发表感言，她说："我今天所获得的荣誉，是我和丈夫共同研究建立的；今天，我要把各位加在我身上的赞美，转赠给先夫皮埃尔·居里先生。"

回到巴黎以后，玛丽因为旅途劳累而病倒。她的家人，姐姐赫拉、布罗妮雅，和哥哥约瑟夫等，都赶来探望，看见她骨瘦如柴，十分担心。

玛丽接受了医生的建议，静养休息两个月。她在女儿伊莲和艾芙的陪伴下，前往一栋别墅静养。

静养期间，有一天，突然收到一封来自华沙的信。伊莲帮忙读着信，她告诉玛丽："妈，华沙大学就要成立一所放射能实验所，他们要请您回去指导。"

原来，那时俄国对波兰的管制，已经比较放宽了。

"您要回去吗？"艾芙问玛丽。

"我当然也想为自己的国家尽一份心力，可是……"

“我知道妈在犹豫，对不对？”伊莲果然很了解自己的妈妈。她接着分析：“您在想：到底要回到华沙，在自己的祖国从事自由的研究，还是留在法国巴黎，继续争取一些经费做研究好呢？这样的选择很为难，是吗？”

玛丽的心中，的确十分挣扎。这时，个性开朗的艾芙说：“我建议妈妈，还是留在巴黎吧！您一生的事业，不都是在巴黎吗？”

“好吧！我就留在巴黎。让两位助理到华沙去吧！”

1913年，华沙的放射能馆落成，玛丽抱病返回华沙参加盛会。

玛丽拥有得奖两次的光环，她的回国，可以说是满载荣耀，波兰全国上下对她展开十分热烈的欢迎。

她在演讲时，总是不忘强调：“有一天，总有一天，我们的波兰，一定会脱离俄国的统治，而迈向自由光明。”

这次载誉归国，遇见了中学时代的校长，这是最令她兴奋的事情。

“校长，您好！”玛丽十分激动地问候着。她紧紧握住这位白发苍苍的老校长的手，久久说不出话来。在场的人，都为这一幕师生情谊感动不已，情不自禁地鼓起掌来。

这年秋天，玛丽还前往英国，接受伯明翰大学颁给她荣誉博士的学位。

不久，玛丽的病情，稍微和缓。

她回到索邦大学授课，也重新回到科学实验的工作岗位。这时，镭在癌症治疗上的应用，十分成功，而且有与日俱增的趋势。镭在社会上大放异彩，科学家研究镭的经费却比以前少。

“为什么科学家的研究经费愈来愈少呢？”

“因为国家的经费，都让医学机构优先分配。”

“所以物理实验室要培植训练，或是聘请研究人员，没有经费；要购买精密的设备，也没有经费。”

科学家们都很不满，这一场实验室的空前挑战，玛丽义无反顾地全身投入，她决心要做出一番作为。

“我们院长说，要聘请玛丽博士，来到我们研究院主持研究。”说话的人，是一家全靠私人基金支持的巴斯特研究院代表。

“玛丽博士如果去你们研究院，那我们大学不就失去了一位教授？这样恐怕不妥当吧！”索邦大学的代表也这样表示。

“不如这样吧！我们共同成立镭研究所。”巴斯特研究院代表提出想法。

“经费呢？经费怎么算？”索邦大学的代表很担心经费问题。

“我们双方平均分摊。”巴斯特研究院代表回答。

“镭研究所分成两个小组[1]，一组由玛丽领导，从事物理和化学的研究；另外一组，由雷高得医生负责，做医学和生物学的研究。”索邦大学的代表也提出意见。

“可以，这样是公平的。”巴斯特研究院的代表表示可以接受。

这样的合作方式，让玛丽如鱼得水，可以发挥专长和心力。

战争中的付出

1914 年的 7月，居里实验室即将完工，玛丽监督工人在两栋建筑物之间，种植树木和一座玫瑰花园。

成立居里研究院，一直是玛丽最大的梦想。这个梦想，即将成真，却因为一个突然的事件，再度耽搁了，那就是：德国于 8月 3 日向法国宣战。

1 后来，镭研究所的两个小组所在的那一条路，被命名为：皮埃尔·居里路，用来纪念居里夫妇对镭的特别贡献。

也就是说:第一次世界大战爆发了。

1914 年 9 月的某一天,四十七岁的玛丽出现在庞坡车站。她打扮得很低调,身上穿着一件厚重的黑色羊驼大衣,步履蹒跚地行走在人群间。玛丽的行李箱里装了好几支用铅包裹的镭试管,里面含有法国所有的镭。她的任务,是确保德军进攻法国时,无法取得官方眼中这个“无价的国宝”。

这个时候,德军已经攻入法国,正朝向巴黎逼近,两天前,法国总理雷蒙·庞加莱,已经将政府迁到波尔多。

火车频频在平交道停顿,从窗户往外望去,道路上挤满了各式逃难的车辆。

十个小时以后,火车在晚间才抵达波尔多。玛丽等人群散去以后才走到月台,行李放置在脚边,等待姗姗来迟的官员来接她。

所有的旅馆全住满了来自巴黎逃难的人,她被安排到一间破旧的民宅,在狭小的房间住了一晚。隔天早上,玛丽到了波尔多大学,把镭存在保险库,然后再搭上回程的火车,车上满载受征召到巴黎的士兵。因为害怕德国军队入侵,当时平民很少搭车前往巴黎。

玛丽已经一天半没有吃东西,一个年轻士兵把三明治分给她吃,她十分感激,士兵问她:“您不就是居里夫人吗?”玛丽低头轻声回答说:

“你弄错了。”她是不能泄露身份的。

玛丽回到巴黎时,整座城市几乎成了空城,居里研究室的研究工作全部停止。原先,人们预期战争很快会结束,但是,恐怖的屠杀流言迅速传回巴黎。一向厌恶战争的玛丽,在强烈谴责战争之后,决心为这个收留她的国家尽一份心力。

许多受伤的士兵被送回巴黎,当时的战地医院,并没有 X 光仪器,也没有技师。玛丽花了几个星期的时间,从空下的实验室和诊所募集到 X

光仪器。

玛丽跟伊莲说:“用‘行动式 X 光设备’的点子,好不好?”

“妈妈是想把它载到前线医院,做伤兵治疗前的诊断。是吗?”

玛丽点点头。伊莲说:“这种车辆,必须够小才能通过狭路,设备也要很轻才行。”

“这种车辆,每台都必须配有一个小型的发电机。”玛丽补充说明。

“妈,如果现场没有电呢?”

“现场如果没有电的话,连接到汽车的电池,就可以发电了。”

刚开始的两辆车,由法国妇女协会捐赠。

“一根 X 光管,装在可以移动的平台上,这样可以轻松地滑动到照射的部位。”玛丽解说着。

“另外,还有要给病患用的折叠桌、感光底片、屏幕、隔离光线的厚帘幕、装满氡气的安瓶(镭衰变的产物)、保护用的棉手套,以及注满铅的防护围裙。”

玛丽发出赞叹:“这真是科技与实用的完美结合!”

第一辆放射线车就这样正式开往前线,展开医疗救人的任务。

“妈,都准备好了。”

“好,伊莲,我们出发吧!”

十七岁的伊莲,顺理成章地,成为母亲的合作伙伴。她现在是玛丽的“同伴和朋友”,她将逐渐取代父亲皮埃尔在母亲心中的地位。

玛丽训练工作人员,先从简单的病例做起。她和伊莲共同检查的第一个病患,是前臂被子弹射中的士兵。她们把他放在 X 光机前的固定位置。玛丽调整仪器,让屏幕上清楚投射出伤员的影像,拍下照片,立刻交由助手冲洗出来。

战争刚开始的时候,外科医生对于放射线的使用经验还很缺乏。还

有些医生，尤其是年纪大的，对这种检验的新方法没有信心，玛丽凭借着她的专业和权威，全力说服他们。

玛丽驾驶她的放射线车，在前线巡行。她每到一个地方，总是这样考虑：能否设立永久的放射线检查站？必要时，她将会亲自把设备送过来。

由法国妇女协会所捐赠的两辆车陆续坏掉以后，玛丽请求她的好朋友协助帮忙。一个月以后，多了一部车；再一个月后，又多了一部车；没过多久，一共有 20 辆车。这些号称“小居里”的车，在她建立的 200 个永久工作站，做了 110 万次 X 光照相。

伊莲在母亲的全力栽培、热切期盼中，很快就开始了独立工作。她一丝不苟、谨慎小心地完成 X 光程序后，找出子弹的确切位置，然后告诉军医探针的插入点，顺利完成照射工作。她的独立工作、服务成绩可以说是十分优秀。

“祝我生日快乐吧！在前线这个地方，怎么过生日啊！”伊莲跟自己说：“没有生日蛋糕，没有蜡烛的火光……又有什么关系呢？”

伊莲就在为伤员的服务中，度过了她十八岁的生日。到了晚上，她还跟自己说：“我成功地从伤兵身上，取出来四颗大弹壳，这是我最好的生日礼物！”

没有多久的时间，她就自己学会修理仪器，自己训练护士，过着军人的生活。

1916 年，伊莲回到巴黎，在新成立的医院开设课程，训练女性 X 光技师，共有 150 名，都分派到战地执行 X 光的任务。

伊莲的教学工作持续进行，虽然很忙碌，她还利用时间，到索邦大学去修习数学、物理以及化学的课程，还以优异的成绩毕业。

1918 年的 11 月，玛丽和伊莲正在新成立的研究室，和其他科学家并肩地工作，突然，欢呼声、乐声和教堂的钟声响起，礼炮的烟灰从窗户飘了进来。

四年的战争，终于结束。

在战争期间，有上千名的女性，在法国工厂工作，成为护士和技师，负责管理学校、医院、农场和运输等。战争结束后，她们又回到社会上，继续扮演战前的传统角色。

战争结束后，玛丽的祖国波兰，获得独立。

玛丽兴奋地对家人说：“经过 123 年的时间，波兰终于扬眉吐气，成为一个独立的国家。”

“这可是我们期待已久的时刻呢！”布罗妮雅也是这么说的。

“小学的那一幕景象，还真像是噩梦。”

“现在，一切都成为过去了，成为历史了。”

战争结束了。

玛丽说：“我需要一个长长的假期，让自己的心情放松，让自己的身体休息。我要去写一本有关放射性学与战争的书。”

访问美国

“你要访问玛丽·居里？”蜜西的朋友，用怀疑的眼光，这样问她。

“是啊！你们为什么这么大惊小怪的？”蜜西觉得很奇怪。

“在巴黎，谁不知道玛丽·居里的怪脾气。”

“她很讨厌记者去访问。她很少给人家好脸色，你要有心理准备。”朋友们你一言、我一语地说。

谁是蜜西？

她是美国一家著名的妇女杂志《描绘》的总编辑。她在美国华盛顿拥有崇高的社会地位，也拥有良好的人际关系。

“这个嘛，我大场面看多了。许多的知名人物，都接受过我的访问。”蜜西胸有成竹的样子，她接着说：

“我才结束在英国的访问，这次是巡回访问全欧洲。我对玛丽这位诺贝尔奖得主，充满好感。”

蜜西如愿见到了玛丽。

“这么了解我，你是怎么办到的呢？”玛丽用英文问蜜西。

“你这位两次诺贝尔奖的得主，十分吸引女性的目光，你知道吗？”蜜西用法文回答：“关于你的所有报导，我都亲自剪贴下来，成为一本玛丽的专辑。”这话让玛丽当下无话可说，只是傻傻地望着她。

蜜西又继续说：“我们两个人都身体衰弱，却又精力过人。”

玛丽点点头。

“我们都从事‘男人的工作’。

“你知道吗？我在进入报社工作时，美国新闻界属于男性的天下；而据我所知，法国的科学界，也一直都是以男性为中心的世界。

“你，玛丽小姐，却能在这样的环境中，独占鳌头，拥有自己的一片天。

“你这样杰出的女性科学家，当然应该受到全世界所有女性的赞美……”

这一番话，玛丽内心为之动容。

“我还知道，你善于理财，却又不是那么爱财。我说对了吗？哈哈，因为我也是这样的人。”

是千里因缘一线牵吗？来自美国的总编辑，和来自华沙的科学家，两位女性竟然彼此欣赏，建立起了友谊。她们无所不谈，相谈甚欢。

最后，蜜西给玛丽的一道题目是：“如果你可以许愿，世界上你最想要的东西是什么?”

“一克镭。”玛丽毫不迟疑地回答。

蜜西点了点头,面带微笑地拿起笔来记录下来。

“没有什么事情是办不到的,你要的东西,当然更难不倒我!”

果然,两天以后,她们像认识了十多年的好朋友,蜜西来到玛丽的住处。

“一克镭到底值多少钱?我们来算算看。”玛丽很想知道。

“100万法郎。”天生善良的蜜西,算给玛丽听:“现在,1美元值10法郎,100万法郎,也就是10万美元。”

“10万美元,可是一笔大数字,你怎么筹这些钱呢?”玛丽不禁担心起来。

“可以用募集的。”

“用什么方法去募集呢?”

“一个著名的人物,加上动人的说法,可以向一些有钱的美国人募捐。

“何况,如果募捐成功的话,就能造成双赢的局面。”

听着听着,玛丽又是摇头,又是微笑。

“真是佩服你!”

“让诺贝尔奖得主亲自到美国来,让她亲自接受这一克镭。”第一个赢家,当然是玛丽·居里女士了!

“我杂志所属的出版公司,将可以拥有玛丽初访美国系列报导的独家版权。”蜜西将是同时的赢家。

她们开心地交谈着,彼此交换了意见,达成了共识。

蜜西一回到纽约,第一件事情,就是把她不在公司的六个月工作赶紧完成;接着,要开始策划募捐的事项,这是一件劳心又劳力的事情。

有钱的阔太太们,并不热心帮助玛丽。蜜西决定展开全国运动。

她先请一批科学家组成委员会，建立权威气势，再找知名人物的夫人出面，比如石油巨子约翰·洛克菲勒的太太、美国副总统的太太、美国癌症控制协会创始人密德夫人，以及另外几位名媛贵妇参与支持。

蜜西工作到深更半夜，她静下心来问自己：“我自己呢！你已经准备好了吗？准备全心全力投入这场有史以来声势最浩大的公关活动了吗？”

她对着镜子，满意地点了点头。

他们全都遵守了诺言，“玛丽·居里镭基金”，最后顺利募得一克镭。

“美国民众热情地捐款购买镭，将由美国总统来赠送给玛丽·居里。”这个消息，跳上了法国巴黎报纸的头条新闻，这可是国际上最新的消息啊！

法国的政府该怎么办呢？法国政府单位里的人，互相这样交谈：“说实话，我们并不重视玛丽·居里在科学研究上的需要。”

“是啊！我们的预算里面，也没有补助她研究的经费啊！”

“可是，看看民间的反应吧！巴黎的一家杂志社，都出面来呼吁法国人捐款给镭研究所。我们还能没有行动来表示吗？这可是国际上的面子问题！”

1921年4月27日，法国科学界精英聚集在歌剧院，为玛丽送行。

玛丽进场时，掌声响起，久久不息。著名的女演员撑着义肢朗诵“居里夫人颂”，一些有成就的科学家，也特别上台致词。

蜜西，这位玛丽的好朋友，间接促使法国重视居里夫人的科学贡献，这真是美事一桩！

几天以后，玛丽和女儿登上“奥林匹克号”汽船，轮船公司董事长亲自接待居里夫人。

“居里夫人，请这边走。”他边走边介绍：“这间客舱可以说是一间贵宾室，通常是给新婚夫妇用的套房。今天，我们非常荣幸能接待您这位世界知名的科学家。”

在航行中，玛丽大部分时间都待在这间舱房里。没有召开记者会经验的她，有些担心上岸后，会是什么样的光景。她还天真地想着，拟一份声明稿，就丢给记者们，像在巴黎一样。

船，终于平安抵达美国。

“玛丽，我为你安排会见新闻界，这场记者会就在船舱上层的甲板上。”

蜜西话才说完，玛丽一露脸，记者们便蜂拥而至，这可把她吓坏了。

蜜西见玛丽缩在椅子上，紧紧抓住手提包，帽子给人群碰掉了，露出了白发。她赶紧扶起玛丽，挡住这群摄影师。

镁光灯闪得玛丽的眼睛睁不开，记者们七嘴八舌地东问西问。

玛丽紧闭着嘴巴，一句话也没说。

码头上人声鼎沸，人群嘈杂。许多人聚在那儿，等了好几个小时，就为了要瞻仰这位发现镭的大人物——“人类的恩人”。管乐队轮番吹着法国、美国和波兰的国歌。女童军列队高唱迎宾曲，还有许多不同的欢迎队伍摇旗欢呼，由300位波兰裔妇女组成的代表团，更是挥舞着红白两色的玫瑰。

玛丽感受到了热情洋溢，不过，这不是她会应付的场面。

她低着头，匆匆走下踏板，很快地钻进为她准备好的大轿车，像逃亡似的离开了。留下仰慕者一脸的错愕，不知所措地站在那儿，心里迷惑地想着：居里夫人是不是不喜欢美国啊？

玛丽，这位女性的诺贝尔奖得主，这次访问并没有风靡美国，不过，她却触动了美国人的心。

美国，是一个以“貂皮大衣为社会地位象征”的国家，也是个女性以为“只要高谈阔论，便可以促进男女平权法”的国家。忽然之间，却出现

了这么一位衣着平常的学者、羞怯瘦小的女性、风尘仆仆的访客。记者们把她团团围住，她却什么也不说，他们只好报导她的沉默……这场演出，实在太反常，反而引起震撼。

玛丽为了得到一克镭，付出了辛苦的代价。

她马不停蹄地走访一个又一个女子学院，赶赴一场又一场宴会，无数热情的仰慕者，争相和她握手，竟然把她的手握得脱臼了。

美国白宫特别为她举行的酒会上，冠盖云集，各国大使、法国与波兰裔的人士，列队向玛丽致意。

她的手臂因为脱臼还吊着肩带，两位女儿帮忙用法语、英语和波兰语，代为答礼。这样的盛礼，俭朴的玛丽身上穿的还是十几年前，以及她第二次领取诺贝尔奖时，所穿的那袭黑色镶花边礼服。

美国总统恭维玛丽在科学上的成就，为她挂上悬有金钥匙的丝带，是桌上一只小木盒的钥匙。木盒内部镀铅，重 50 公斤——其实，重 50 公斤零 1 克，那 1 克，是镭。

之后，还有很多场、很多场的午宴和酒会。

玛丽搭乘火车和巴士，访问费城、波士顿、匹兹堡、水牛城和芝加哥。

玛丽这次的美国之行，除了价值 10 万美元的镭以外，同时还募集到价值 22000 美元的钍、其他的稀有金属，以及 52000 美元的款项，外加各种仪器设备。居里实验室，果真成了她梦寐以求的研究圣殿。这真是玛丽最为丰盛的一次美国之行。以后几年，蜜西又积极多方张罗，捐款源源不绝而来。

蜜西和玛丽相拥而泣，害怕身体不好，以后无法再见面。这两位女性有一个共同的特征：绝不服输。

蜜西患有恶性肿瘤，曾接受实验性的放射性治疗。玛丽三度因为白内障而开刀，但她仍然到处奔波，访问荷兰、巴西、意大利、丹麦、捷克、西班牙、苏格兰和波兰等地。

不过，七年后，这两位身体都很衰弱的坚强女子，还是在白宫重逢了。玛丽从另外一位美国总统的手中，接受美国人民捐赠的另一克镭，是送给波兰的，因为华沙成立了镭研究所。

华沙当然应该有一个镭研究所。

玛丽的姐姐布罗妮雅，发起筹建运动，她到处发送小册子宣传，要波兰人民为这件事情贡献一份心力。

在这件事情上，蜜西再一次建立功劳。蜜西前往意大利访问墨索里尼，返回美国途中经过巴黎，玛丽去看她。蜜西和玛丽就波兰成立镭研究所这件事情，彼此交换意见。

“蜜西，你的身体已经十分虚弱，我真是不忍心！”

“这可是一个伟大的目标，不是吗？”

“你确信，还有力量再度激起美国民众的热心，为华沙募集一克镭，是吗？”

“我确信，而且，我十分愿意为这件事奉献心力。”

“你真是令人没齿难忘的好友！”

“不过，我只有一个条件。”蜜西卖关子。

“什么条件？”玛丽很怀疑。

“你要再来美国一趟，亲自接受为华沙募集的一克镭。”

玛丽紧紧握住蜜西的手，眼眶里有泪水在打转。她哽咽地说：“一定的，我一定会亲自再去美国一趟。不过……”

“不过什么？”

“关于记者会的事情。”

一说到记者会，两个人忍不住笑出声来。

“上次的记者会事件，让我印象深刻呢！把你吓成这样，真是抱歉。

下次,应该不会再发生这样的事情了。”

“真的?我不要接受访问,不要人拍照,不要到处拜会。”

“好,这些事你都不必做,你只要参观实验室、参加科学会议,出席小型的官方招待会,这样就可以了。”蜜西十分体贴。

美国当时正在举行总统大选,蜜西预言:共和党籍的胡佛,会在大选中获胜。

蜜西劝玛丽要拍发贺电给他。

“为什么?”玛丽说,“我从来不参与政治。”

“他仰慕你。”

“而且,胡佛不是政客。他是信仰人道主义的学者。”蜜西回答。

事实上,胡佛也不是学者,他是工程师。在第一次世界大战刚开始的时候,负责运送救济物资到比利时,因为圆满完成任务,赢得许多人的信任,因此成为欧洲救济暨重建委员会的主席。

美国的选举结果,果然,胡佛当选总统。玛丽真的向他致贺,而他也投桃报李,邀请玛丽访问白宫。

后来,玛丽以“居里夫人”、“镭之子民”的身份前往美国,事情果然就如蜜西的承诺。

美国总统的支持,是最大的关键。

胡佛总统亲自交给她美国人民捐赠的款项,这些钱可以购买一克的镭。和上次一样,收到的捐款超过所需。

戴上了厚眼镜的玛丽,比过去更令人感动,她再度赢得美国商人的心,这些都是蜜西精心挑选的商人。在友人的帮忙杀价下,她们用最低的价钱,买得所需要的镭,而把余款妥善投资。结果,玛丽带回巴黎的镭,比预期的多。另外,还有多种放射性矿石的样本、给实验室的免费新设备,以及给她的研究员的奖金。真是收获满行囊!

玛丽这次的美国行,像是国家元首的私人行,避开了新闻界的追踪。

事后,她写信给伊莲,说出了溜进美国的情形:“他们让我走便梯,躲过了守候在机场正门的60多位记者。接着,从纽约飞车前往长岛。一路上由警察摩托车开道,我们像是消防车,急急赶往火场般风驰电掣。整个过程,感觉很有意思。”

第二年,蜜西告诉玛丽:“为了让你的工作比较轻松,福特先生希望荣幸地赠送一部汽车,供你在法国随便使用。同时,还有一位司机给你。”

这位福特先生,就是福特汽车公司的大老板。

玛丽接受了。

立下典范

“你身体这么虚弱，还到那么远的地方，为什么呢?”一位朋友这么问玛丽。

“就是因为我的身体这么虚弱，我才要赶紧把握机会，能为国际的科学做一点事情啊!”玛丽意志坚强地说。

“妈! 您愈来愈像科学推销员了。”艾芙这样开她的玩笑。

“我喜欢当科学推销员，这受到蜜西的影响。我去了两趟美国，深深觉得公关的重要。”玛丽笑着，继续说，“现在，和科学组织有关的会议，只要邀请我，我都会尽量去参加。”

于是，伊莲陪着她去巴西，艾芙陪伴她去西班牙。

玛丽成为“国际知识分子合作委员会”的委员，不久以后，还当了会长。

玛丽去日内瓦参加这个会议。

爱因斯坦批评说:“这个委员会,是我所参与的组织中,最没有效率的一个。”

玛丽只是笑着回答:“谢谢指教!”

但是,她却对艾芙说:“这个组织再不健全,也有值得支持的地方。”

于是,她努力让委员会通过了几项条款,好让“全世界科学工作的无政府状态”,稍微有秩序一些。

在冗长的辩论以后,委员会承认:科学家有权利拥有自己发现的成果。在这样的原则下,科学家开始依照合约工作了。[1]

这种方式,具体实现了玛丽的期望,那就是:“科学家不获利,但可以得到研究所需要的资源,而科学成就的实质利益,也有一部分用在科学上。”

“妈,我们没有陪您去出席会议时,您是怎么看待这份苦差事的?”女儿好奇地问。

“有时候,我还会从会议的会场暂时失踪,到附近去寻幽访胜。”玛丽还是热爱旅行的。

“有时候,就躲在旅馆里,写信给你们啊!”玛丽开心地说,女儿开心地听。

玛丽·居里家有两个女儿。老大是伊莲,她很独立,自主性很强。在爸爸过世以后,她比较像是家里的男主人,可以稳定妈妈不安稳的情绪。伊莲在她二十六岁的时候,就已经拿到学位,在实验室里分担母亲的部分教学工作。

1 科学家想找出释放核能的方法,他们签署协约,由矿业工业提供研究所需要的铀,由国家科学研究中心供应研究所需要的设备和经费。一旦研究有了成果,所得到的利益,就由以上两个单位来平分。如此一来,科学研究中心掌握了科学新发现的支配权,所得到的利益,也自动转投资到其他研究计划上去了。

“大女孩,我要出去开会,有两个星期的时间不在这里,实验室里的事情,就由你来指挥,你要负起责任。”玛丽对伊莲说。

“知道了,妈妈。一切都不会有事的,您就放心去主持会议吧!”

玛丽十分满意伊莲有科学上的天分,她决定:去世之后,让伊莲接掌居里镭研究所。她们母女俩对于科学,有着相同的热情。

习惯早起的伊莲,用餐盘装着早餐,端到母亲床边。这是宁静的时刻,她们谈论文学、科学或是其他的。

“妈,您用餐,我来读诗给您听。”伊莲读雨果的诗。

“伊莲,你再多读两遍。”伊莲读完,玛丽会分析这首诗给她听。伊莲说:“妈,您年轻的时候,很喜欢诗,而且,也读了许多文学作品,是吗?”

“我很小的时候,我爸爸,也就是你的外公,就经常朗读世界各国的文学作品给我们听,诗歌更是最受欢迎。”

“难怪,我读世界名诗,您都可以评论。”

“你朗读的许多诗,是我小时候就记诵在心里的,经过几十年的体会,当然会有评论啦!诗是需要用心去感受,用生活去体会的。”

有时候,伊莲从书房里,拿出一本尘封已久的书,放在桌上,准备阅读。

“伊莲,这本书,我很想再读一读。”

“妈妈是想重温书中的情节吗?”玛丽点了点头,把书拿到她房里去。

晚上,伊莲如果去观赏古典戏剧,或是去听歌剧,伊莲会说:

“回到家,我总爱坐在妈妈的床边,和她分享心得,一直到深夜。”

艾芙是玛丽的二女儿,她天生优雅,富有才华,长得很漂亮。

“妈,我晚上要去听音乐会哦!”

玛丽一听就走到艾芙的房间,躺在长椅上,看艾芙梳妆打扮。

“哦,乖女儿,这高跟鞋多么吓人哪!我才不相信,女人能够踩着这样的高跷走路！还有这露背的新款时装，是怎么回事？露胸还可以，背后还露这么多，怎么行呢？一来不像样，二来可能会得肺炎，三来难看。如果前两项劝不动你，这第三项，总该说动你了吧？"

玛丽和艾芙对于女性的衣着和美感，有迥然不同的看法。

最痛苦的时刻，是往脸上涂脂抹粉的时候。玛丽会忠实地、严格地评鉴艾芙。玛丽说："原则上，我不反对涂涂抹抹。我只能跟你说：我觉得很可怕。为了让我自己舒服些，明天一早，趁你还没来得及把这些鬼东西涂在脸上以前，我先到你房间来亲吻你。现在我先走了，晚安。哦，对了，你有没有什么书可以借我看。"

玛丽极尽所能地教导女儿，磨练她们，教她们各种各类的知识；同时也因材施教，发展出各自独特的资质。以伊莲来说，玛丽从不勉强她见人要打招呼；而艾芙喜欢讨每个人的欢心，玛丽也没有因此斥责她。两个女儿都学会多种外语，又会烹饪、滑雪、缝纫、骑马和弹钢琴。

数学方面的课程，玛丽督促很严；道德操守方面，更是毫不放松。

她把两个女儿教导成为独立自主的年轻人，让她们明白：生活的责任，要自己承担，也很乐意认真实践。

玛丽和两位女儿，后来绝口不提父亲的死亡，她们坚强且勇敢地踏着父亲的科学之路前进。

伊莲和朱立欧

一天早上，伊莲跟往常一样，端着早餐，走到母亲床前，准备带给她一个意外的惊喜。她说："妈，我准备要结婚了。"

玛丽当场愣住了，结结巴巴地问："谁？对方是谁？"

朱立欧加入“镭家族的皇室”，可不是件容易的事情。

1925年，一个穿着军服、神情紧张的二十五岁年轻人——朱立欧，向玛丽·居里自我介绍：“我小的时候，曾经把您的照片贴在卧室墙上。我从物理学校毕业，在一所工业实验室里，受了一段时间的训练，现在，正在服兵役。”

玛丽抬起头来，和他简短的对谈以后，她问：“明天可以开始上班吗?”

“我还要服三个星期的兵役。”

“我会写信给你的长官。”

然后，玛丽又继续看她的报告。

他其实是玛丽的一位科学界的好朋友大力推荐来的。

隔天，朱立欧开始在镭研究所上班，他变成了“实验室的孩子”。

他个儿高高的，仪容整洁，是热情而愉快的运动员个性；他还抽烟抽得很凶，总爱自称是“非知识分子”。当时，伊莲在科学上的学养远远超过他（以后在化学方面，也始终比他强），给予他技术指导，就像是在指导别人一样。

朱立欧一直在观察伊莲，他说：“她脸上的表情很冷淡，有时候会忘记跟别人打招呼。因此，实验室里有些人不大喜欢她。我注视她，看出她的内心其实非常敏感，而且也非常富有诗意，在很多方面，都像是她父亲皮埃尔·居里的翻版，是活生生的复制品。”

朱立欧读过很多居里先生的报导，也和认识他的教授们谈过，“我在他的女儿身上，看出和他同样的纯洁、敏感和冷静。”

他们俩开始散步、聊天，慢慢地，有了亲密的交谈。在这之前，伊莲总是说自己不会结婚。

母亲知道他们准备结婚，深受打击，觉得她的实验室伙伴、好朋友和保护者就要离她而去。在玛丽看来，朱立欧是为了利益才娶她的女儿的。

因此，她试着劝阻他们，并坚持他们得签订协议，不受法律规定：由丈夫控制妻子财产这样的限制。她还向律师讨论请教，确保伊莲能单独继承居里研究所的镭，以及其他放射性物质的控制权。

伊莲与父亲同样地决断，选择了她认为最合适的男子，共度此生。

朱立欧也被流言所困。直到十年以后，他才认清自己是真心地爱妻子，虽然原因之一是：她是玛丽与皮埃尔·居里的女儿。

在订婚典礼上，玛丽凝视着这个英俊的男人，只提出一个要求：不可以在她面前抽烟。

玛丽内心是痛苦的，虽然隐约感觉就要失去伊莲，她还是诚挚地祝福他们。

伊莲结婚以后，搬出了玛丽的公寓，不过，他们之间的往来还是十分密切。每个星期，有三天晚上，他们会邀请玛丽共进晚餐。

玛丽坚持要朱立欧重新参加高中会考，然后取得学士和博士学位。他完全听从她的指示。本来在化学和物理学上，远远不及伊莲的他，后来在这两门学问上，都能跟上伊莲。经过这样的努力，他的魅力和科学上的进步，终于赢得了玛丽的欢心。后来，他受聘担任国家科学研究中心的有薪职务。

三年后，“这孩子，”玛丽经常跟好朋友说，“火力十足。”

在居里实验室的那些研究员，不是玛丽的仰慕者，也不是她的下属，而是她的“孩子”。

他们一旦加入这个“镭的家庭”，便像是烙上了她的印记。

她的研究室里，有40个左右的研究员，法国的科学家，把在这里工作当作是重要的经验。也有一些研究员远道而来，有的来自苏联，有的来自巴西，有的来自保加利亚，还有的来自日本。他们在法国取得博士学位以后，多半返回自己的国家，建立一个相似的实验室，并且和巴黎保持密

切的研究联络。

没有经验的研究员，要从助理做起，伊莲也不例外。

她最初便是做她母亲的助理。朱立欧也是如此。等到经验成熟以后，才可以独当一面。天分特别高的还能拥有自己的专用设备，有权挑选研究题目，只要不超出放射性范围之外即可。

伊莲用"伊莲·居里"的名字，发表她的科学报告，朱立欧用"菲·朱立欧"，但是，后来两人都把姓氏改成"朱立欧·居里"。

1927 年，他们的女儿出生，取名海莲。过没多久，医生说伊莲感染了肺结核，警告她：不能再生小孩、要减轻工作量。可是，伊莲在隔周就回到实验室工作，五年后，她的儿子"皮埃尔"出生。

由于玛丽的努力，朱立欧·居里夫妇在居里研究院内，有将近 2 克的镭可以使用，他们从中分离出 200 毫克的钋，能够产生最强烈的 α 射线。居里实验室的钋藏量居世界之冠，大约比德国钋的能量强十倍。

玛丽已经把薪火传给下一代，让他们有足够的原料，进一步研究辐射和原子核。

当时柏林、英格兰和哥本哈根等地，都有科学家在探索相同的领域。朱立欧这样写着："我们要加快脚步，其他实验室总是很迅速地就采用我们的实验，被他们追赶上，实在很讨厌。"

经过无数次的实验，他们夫妇最后发现了制造人造辐射的方法，他们因此得到诺贝尔奖。

在玛丽得到第一个诺贝尔奖的 32 年后，伊莲又成为获得诺贝尔奖的女性科学家，只是，玛丽没能活着亲眼看到女儿得奖。

朱立欧·居里夫妇共同发表诺贝尔奖演说。

朱立欧在演讲一开始，就说："我要特别向玛丽和皮埃尔表示敬意，因为居里夫妇的成就，才促成我们的发现。"

在演讲的结尾，他也表达出他的忧心："科学家随心所欲地制造元素，或是分解元素，将来可能有能力引发爆炸性的原子核转化。"

他们回到巴黎以后，开始研究新的人造放射性元素。法国和朱立欧·居里再次领导科学界。

活力充沛的艾芙，则加入了自由法国军，后来担任战地记者，并和朋友共同发行了《巴黎报》。

战后，她嫁给拉伯伊斯，他后来成为联合国儿童基金会的执行长，一年中大部分时间都在世界各地巡回，致力于改善儿童的困境。1965 年，拉伯伊斯获得诺贝尔和平奖，因为他通过联合国儿童基金会对世界和平作出了贡献。

伊莲和先生因为战争分隔两地，但她不愿意离开巴黎。

直到她的女儿海莲十六岁，通过了法国的高中会考。她的儿子当年十一岁，后来获得荣誉勋章，并成为法兰西学院细胞生物工程系的系主任和巴黎高等师范学院的教授。

伊莲带着两个孩子背上背包，徒步冒险穿越法国的阿尔卑斯山，前往中立的瑞士，很幸运地，那天德军的守卫没有留意边界。当时，他们并没有注意到，那天就是诺曼底登陆的日子。

战争结束后，朱立欧开始掌管法国原子能委员会，伊莲服用链霉素，治愈了肺结核。

后来，伊莲出任政府的科学研究国务次卿，虽然任期非常短暂，她还是到处演讲，激励法国和国外的女性，以倡导职业妇女权、保护儿童和世界和平为目标。

1945 年，法国的妇女终于获得投票权，伊莲可以说是功不可没。

第三代的居里女性传承了薪火。

伊莲的女儿海莲，十七岁从巴黎物理学校暨化学工业学校毕业后，就

在父亲的原子能委员会担任研究员，发展法国第一个原子反应器。

海莲的爸爸朱立欧于 1958 年过世，她在父亲过世前一年，进入巴黎大学核子研究所，担任研究主任，那时她已经是法国的顶尖科学家，管理有 580 名员工的实验室。

海莲和父母一样，崇尚和平，也如同三代的居里女性，倡导无性别差异的教育权、女权，她希望科学界能有更多的女性。

海莲是杰出的第三代居里科学家。

画下休止符

玛丽一直走到生命的尽头，始终待镭如子，她不相信自己钟爱的孩子也会杀人。而和放射性有关的病例持续发生，或许可以帮助我们了解事情的一些蛛丝马迹。

之一

致力于放射性治疗的居里基金会，就在庆祝镭的发现25周年的时候，有成千上万的人，在工厂、在实验室，甚至在医院等地，处理或使用镭、放射性物质和X光，都没有做好适当的防护，以致损害了健康。

受害者之一，是一位年轻女士，她的工作是在一些药物中添加镭和钍，忽然间死于"贫血"。

之二

有一位化学家，年轻时曾经与皮埃尔、玛丽一同工作，也因为“贫血”致死，她死的时候才四十岁。还有一位玛丽以前的私人助理，死于白血球过多症。

这么多处理放射性物质的人死亡，有几个国家已经组成委员会，调查放射线的危害，法国却没有这种委员会。

之三

第一次世界大战期间，玛丽和伊莲母女俩在不同的战地医院工作，都暴露于大量的 X 光和氡气之下。

1921 年，玛丽在《辐射与战争》这本书里，提到：放射性皮肤炎可能导致死亡。她却轻忽了自己的发现。

1925 年是个转折点，玛丽再也无法否认下去，非医学性和工业用镭的确具有危险性。

位于新泽西的美国镭公司，年轻女孩在工厂里排排坐着，替“表”（手表）面绘上发亮的数字，她们用舌头舔笔刷顺笔尖，颜料里含有镭，三年内，就有 15 个女孩死亡，因为镭中毒，破坏了她们的口腔和骨髓。

同年，在巴黎，两个曾经是玛丽学生的工程师，在调制工业用钍 X 溶液后死亡。还有一个，手指被切除，然后是手掌，接着手臂也遭到切除，最后还是瞎掉了。

之四

玛丽的白内障渐渐严重了,但是外人不知道。她的姐姐和女儿保守秘密。没有人想到她快要失明了。

她照样在索邦大学授课,只是,学生的脸孔看不清楚了。讲义大纲,是用斗大的字写的,而在黑板上写字是有困难的。

在她办公室隔壁的小实验室里,度量仪器标识着彩色的大数目字。看书需要用放大镜。

医生决定为她开刀,她用假名入院。手术后引起并发症,持续出血。几周后,她在一天晚上出院。白内障拿掉了。

她写信给艾芙说:

我沿着碎石子路走了两趟,走得很快,都没有问题。麻烦的是,有双重影像,因此无法认出前面走过来的人。我每天都练习读和写,这比走路还难。

以后几个月内,她又动了两次手术,然后,有六年的时间平安无事。

之五

伊莲在1956年过世,当时五十九岁。

她的死因,是暴露于放射性物质所引起的白血症。由于镭和居里几乎成为同义字,大多数人以为伊莲纯粹因为过度暴露于镭而死,其实,主要是因为她在第一次世界大战期间,暴露于大量的X光和氡气下,加上她过世前15年的一次实验室意外,吸入钋210胶囊在桌面爆炸而产生的氡气。这种致命物质会迅速渗入身体组织,即使十分少量,也极端

危险。

伊莲的先生朱立欧因为身体过于虚弱，只能到妻子病床做短暂的探望。他在两年后，死于镭和钋中毒。朱立欧还以一种黑色幽默，说：死于辐射中毒，是“我们的职业病”。

之六

有一天，玛丽在实验室滑倒，右手腕脱臼。她没有太在意，结果后遗症接踵而来。接着，发现身体胆内有一枚大结石。

要不要开刀？她想起父亲当年死于类似的手术，所以拒绝了，而改用严格的食物疗法。

伊莲和朋友看她深受病痛之苦，劝她和他们一起去滑雪度假。

他们以为她病得很重，行将就木，而玛丽的活动力证明他们错了。她的确是病了，但是照样滑雪，穿着雪鞋漫山遍野地探险。

一天傍晚，他们看她没有回来，不禁担心。她上哪儿去了？原来她去看日落，天黑以后才踏上归途。

她写信给蜜西，请她前来一同度假，但是蜜西患了腹膜炎。康复以后，蜜西回信给她，答复她一直忧虑的问题，就是：我死后，美国人捐赠的镭，是不是还会留在实验室里？

“大家是不是真的会遵照合约，让伊莲继承镭，同时用在指定的用途上？”

蜜西保证会遵照她的意愿来处理，她才放心。

过复活节前，布罗妮雅和玛丽开车要出门去旅行。

出发前，玛丽小心翼翼地对伊莲说：“关于镭的相关事情，我已经做了详细的、妥善的处理，那份文件可以当作遗嘱，它和美国方面的文件放在一起，档案夹外面有红色的标志，收藏在客厅柜子的抽屉里。”

她还销毁了档案里的一些数据，这些数据都是她认为不可以让外人知道的东西，有些东西，有可能改变别人对她的看法，或是造成误解。她同时要求蜜西销毁她的信件。

这次旅行结果并不愉快。冬天的海风令她很不舒服，房间里没有升火，冷冰冰的，她着了凉，倒在姐姐的臂弯里，掉下眼泪，她真的是累坏了。回到巴黎，阳光虽然温暖，她还是发着烧。

像过去多次来探望玛丽一样，布罗妮雅怀着不舍的心情，踏着沉重的步伐，从巴黎返回华沙。

这是最后一次，当火车缓缓驶离，窗外的玛丽、窗外的景物，都在她模糊的泪眼里，逐渐远去。

几天以后的一个下午，玛丽在实验室里，她想要做一点事，却力不从心。她喃喃自语地说：“我在发烧，我要回去。”

她先到花园里绕了一圈，看她亲手种植的玫瑰花，有一些显得病恹恹的，便叫人立即来照顾，这才离开，这也是最后一次离开，她再也没有回来过。

她躺在床上，高烧不退，全身无力，大家赶紧送她去医院，医药帮不上忙，又带回家。

她到底得了什么病？好像也没有，重要的器官都没有受损，看起来，没有什么医生可以诊断她的病情，可以治疗她的病症。

医生建议她到另外一个地方去静养，让清纯的空气帮助康复。

艾芙征询几位知名的医学教授的意见，他们也同意这么做。他们认为：玛丽的热度，表示肺结核的旧疾复发，她应该立即前往山区疗养。

在艾芙和护士的陪同下，玛丽用了一个假名，安置在山区的疗养院

里。在这里，医护人员为玛丽又做了好几项检验，检验结果并没有发现肺有毛病。可是，玛丽的体温持续上升，一直到 40 摄氏度。

后来，请到了四位日内瓦最好的教授来诊断，他们比较各种验血报告以后，断定是“突发性恶性贫血症”。

这种病和放射性伤害有很大关系。如果用我们现在的眼光来看，玛丽受到放射性的伤害，已经到了末期，非常严重。

玛丽自己看了看温度计，她当然知道病情，只是因为害怕开刀，听到医生教授们说是贫血，反而松了一口气。

当她看到温度计上，显示她的体温突然下降，她露出了笑容，这也是她最后的笑容。她小小的手，握着温度计，眼睛注视着，却没有力量，只是像往常那样，仔细地记录，或是读出上面的数字了。

温度的突然下降，是回光返照的现象。

当她走完人生最后的一小小段路时，口中喃喃地说着：“是镭造成的？还是钍造成的？”

医生来给她打针，她说：“不要。请让我独自安静一下。”

又过了 16 个小时，她的心脏终于停止跳动。她不想死，一点儿也不想。

玛丽·斯卡洛多斯卡·居里，在六十六岁这年，走到了人生的终点。

1934 年的 7 月 5 日，星期四，这一位伟大的科学家，最后一次，上了全世界的报纸头版。葬礼依照玛丽的意愿，只有女儿、家人和少数的朋友参加，其他闲杂人等，一律不许进入墓地。

布罗妮雅和约瑟夫为棺木覆土，他们各持一把从波兰带来的泥土，撒在棺木上。

她，玛丽，是永远的居里夫人，永远不会被遗忘。

她就像镭一样，即使千万年以后，仍然能够在幽暗里，放出微弱却又清晰可见的光。

居里夫人重要记事

年份	年龄	事件
1867年		11月7日，生于波兰首都华沙。是五个兄弟姐妹当中最小的一个。
1883年	十六岁	6月12日，从华沙市克拉库娃女子学校毕业。获得金牌奖。
1891年	二十四岁	到巴黎，进入索邦大学理学院就读。
1892年	二十五岁	以第一名成绩通过索邦大学物理学的学士考试，各科成绩都十分优异。
1895年	二十八岁	7月26日，和物理学家皮埃尔·居里结婚。
1897年	三十岁	长女伊莲出生。
1898年	三十一岁	发现两个新元素，命名为“钋”和“镭”。
1902年	三十五岁	“镭”的原子量测定成功；镭的发现完全确定。
1903年	三十六岁	获得索邦大学理学博士学位。 12月，和皮埃尔·居里先生共同获得诺贝尔物理学奖。 莱特兄弟首次试航。
1904年	三十七岁	皮埃尔·居里成为索邦大学教授。
1905年	三十八岁	次女艾芙出生。 日俄战争爆发。

(续上表)

1906年	三十九岁	4月19日，皮埃尔·居里车祸过世。 11月接任皮埃尔·居里物理课程，成为第一位索邦大学的女性教授。
1910年	四十三岁	获得诺贝尔化学奖。
1913年	四十六岁	波兰华沙的放射能馆落成，抱病返回华沙参加盛会。
1914年	四十七岁	第一次世界大战爆发。 巴黎成立了镭研究所居里馆。 把行动式X光设备装在普通汽车上，四处为战争中受伤的病患治疗。
1918年	五十一岁	第一次世界大战结束，祖国波兰获得独立。
1921年	五十四岁	美国决定馈赠居里夫人一克的镭，并由哈定总统颁赠。
1934年	六十六岁	伊莲和朱立欧夫妇发现了人工放射能。 7月4日，病逝于圣寒鲁蒙。 安葬于苏市皮埃尔家族的墓地。

后记

撰写居里夫人的过程，给我带来许多意想不到的收获。

收获之一，我再度投入玛丽·居里——就是玛妮雅·斯卡洛多斯卡的生活中。为什么这么说呢？

因为，玛丽·居里本来就是我最崇拜的伟大女性之一。平常，在讲故事给小朋友听，或是聆听小朋友讲故事的时候，大部分都着重在她的伟大贡献。现在，面对要提笔写她，可真是责任重大呢！

怎么写，才能让她更贴近小朋友或大朋友的生活世界呢？我不断地日夜思索。于是，开始重新阅读有关居里夫人的传记；此外，还在网络上搜寻有关她的种种报导，只要是有关她的讯息，巨细靡遗，全都不放过阅读的机会。

重新阅读居里夫人，在我们假日的闲逛山林时间里，在夜阑人静的深夜里，环绕在脑海中的，总是玛丽·居里。最后，才拟定出写作的纲要。

收获之二，是我又回到了快乐的写作时光。

写作，是最能令人忘忧的时刻。平常，写一首儿童诗，在酝酿几天，甚至是几个星期以后，找个有好心情的时间，打开计算机，面对屏幕，噼里啪

啦地，不到一个小时就完成了，再检查一遍以后，很快地，发电子邮件到报社，投稿去了。这个时候，心情最畅快，完成了一件作品，真是得意啊！

这是写诗，一个小时宣告完成。可是，现在面对的是一本传记，性质完全不同，投入的时间远远超过写诗、写短篇故事的时间数十倍。

写作前的酝酿准备比较辛苦，等到进入工作，也等于是进入了忘忧的心灵世界。那是十分奇妙的心灵享受。尤其在写玛丽·居里年幼的生活，一幕幕的景象就在眼前呈现，让自己在计算机上打字的手，能够配合心灵的感受，源源不绝地敲打键盘。

我经常是在夜深人静的时刻工作，打开窗户，三峡河的溪水声音从窗户流泻过来，仿佛也流过我的心田，轻轻洗涤了我的心灵。经过溪水的洗涤，我净化了自己，投入玛妮雅的生活世界。这真是奇妙的写作享受！

收获之三，是我从居里夫人的一生，得到了许多启示，让我深深觉得：生命，就是要这样精彩；生活，就是要这样投入。

走过居里夫人的一生，每一个时期，都有令人敬佩不已的转折；每一个生活的转折，与其说是老天爷美妙的安排，不如说是她极力发挥自己的表现。

居里夫人每一个时期的表现，具体地说，都跟“学习”这两个字有关。从小到老不断地学习，累积了她惊人的表现。许许多多，都深深震撼着我，也警惕着我，不可以在不必要的琐碎事情上浪费时间。

现在，我阖上眼睛，仿佛还可以瞧见居里夫人精彩绝伦的一生呢！